QUE SAIS-JE ?

Les 100 mots de la sociologie

**SOUS LA DIRECTION DE
SERGE PAUGAM**

BIBLIOGRAPHIE THÉMATIQUE
« QUE SAIS-JE ? »

Serge Paugam, *Le lien social*, n° 3780
Laurent Fleury, *Max Weber*, n° 3612
Jean-Michel Berthelot, *La construction de la sociologie*, n° 1334
Raymond Boudon, Renaud Fillieule, *Les méthodes en sociologie*, n° 1334
Claude Giraud, *Histoire de la sociologie*, n° 423

ISBN 978-2-13-057405-7

Dépôt légal — 1re édition : 2010, mars
© Presses Universitaires de France, 2010
6, avenue Reille, 75014 Paris

AVANT-PROPOS

L'objet de la sociologie renvoie à l'homme social ou à l'homme socialisé. Les sociologues peuvent facilement s'accorder, à un niveau général, sur le fait que leur discipline est la science des relations sociales telles qu'elles sont imposées et transmises par le milieu – les cadres de socialisation – et telles qu'elles sont également vécues et entretenues par les individus. Mais, au-delà de cette définition générale, avec quelles méthodes le sociologue travaille-t-il ? Quels sont les concepts majeurs de la sociologie ? À partir de quelles appartenances sociales peut-on définir les liens de l'individu à la société ? Telles sont les principales questions auxquelles ce livre entend répondre. Il est peu probable que tous les sociologues, pris isolément, y répondraient de façon identique tant sont présentes dans ce champ disciplinaire des approches, des sensibilités, voire des écoles différentes. C'est la raison pour laquelle la concertation est nécessaire.

Pour choisir et rédiger les entrées de ce guide, vingt et un sociologues appartenant au comité de rédaction de la revue *Sociologie* se sont réunis plusieurs fois. Ils ont préparé cet ouvrage en même temps qu'ils définissaient les orientations de cette revue généraliste. Ainsi, ces 100 mots ont bénéficié de la dynamique de ce comité composé d'une majorité de jeunes sociologues soucieux de dépasser les oppositions d'écoles et de méthodes nées dans le courant des années 1960 et 1970 et de privilégier une approche pluraliste et exigeante de la discipline.

Les auteurs ont tenu à travailler dans la plus grande transparence en exprimant leurs choix respectifs et parfois leurs désaccords. Ce livre est né de cette confrontation de plusieurs points de vue. Il traduit ainsi une volonté de définir, de façon consensuelle et dans un souci pédagogique permanent, ce qui constitue le cœur d'une discipline et d'un métier. Si chaque notice a bien *un* auteur, l'ensemble a été relu plusieurs fois et soumis à l'approbation du groupe.

L'esprit d'ouverture, de discussion et de synthèse qui a accompagné cette écriture à plusieurs mains constitue incontestablement une garantie pour le lecteur. Ce dernier y trouvera des définitions rigoureuses et documentées qui ont été validées par un groupe représentatif de sociologues reconnus. Il pourra être également sensible à la volonté partagée des auteurs de promouvoir leur discipline en la rendant accessible au plus grand nombre.

Serge Paugam

LISTE DES CONTRIBUTEURS

Céline Béraud, maître de conférences à l'Université de Caen

Michel Castra, maître de conférences à l'Université de Lille I

Isabelle Clair, chargée de recherche au CNRS

Philippe Coulangeon, directeur de recherche au CNRS

Baptiste Coulmont, maître de conférences à l'Université de Paris 8

Nicolas Duvoux, maître de conférences à l'Université Paris Descartes.

Pierre Fournier, maître de conférences à l'Université de Provence (Aix-Marseille 1)

Florence Maillochon, chargée de recherche au CNRS

Claude Martin, directeur de recherche au CNRS

Olivier Martin, professeur à l'Université Paris-Descartes

Pierre Mercklé, ENS Lettres & Sciences Humaines

Sylvie Mesure, directrice de recherche au CNRS

Laurent Mucchielli, directeur de recherche au CNRS

Serge Paugam, directeur de recherche au CNRS – directeur d'études à l'EHESS

Geneviève Pruvost, chargée de recherche au CNRS

Corinne Rostaing, maître de conférences à l'Université de Lyon 2

Sandrine Rui, maître de conférences à l'Université de Bordeaux 2, directrice du département de sociologie.

Vincent Tiberj, chargé de recherche à la FNSP

Cécile Van de Velde, maître de conférence à l'EHESS

Anne-Catherine Wagner, professeur de sociologie à l'Université de Paris 1

Agnès van Zanten, directrice de recherche au CNRS

Chapitre I

POSTURE

1 – Comparaison

Durkheim affirmait que « la sociologie comparée n'est pas une branche particulière de la sociologie ; c'est la sociologie même, en tant qu'elle cesse d'être purement descriptive et aspire à rendre compte des faits »[1]. La comparaison s'appuie sur la confrontation de configurations sociales variées au service de l'interprétation d'un objet sociologique. Comparer signifie tout autant mesurer l'ampleur des contrastes qui les clivent, que d'identifier leurs points de convergence : cette tension entre singularités et transversalités éclaire les multiples déclinaisons sociales du phénomène observé, et enrichit sa mise en intelligibilité sociologique. Aujourd'hui, le terme « comparaison » qualifie prioritairement l'approche internationale. Pour autant, le raisonnement comparatiste ne se réduit pas à la comparaison de société à société ; son échelle peut être *infra* ou *supra* nationale.

On oppose classiquement les approches comparatistes durkheimienne et wébérienne. La première consiste à comparer un choix étendu de sociétés pour éprouver la robustesse des résultats et les effets respectifs de différentes variables explicatives, selon la méthode des « variations concomitantes » : l'exemple le plus représentatif en est *Le suicide*[2]. La seconde fait davantage place aux représentations mêmes des individus, dans une perspective

---

1. Émile Durkheim, *Les règles de la méthode sociologique,* Paris, PUF, [1895], 1986, p. 137.
2. Émile Durkheim, *Le suicide,* Paris, PUF « Quadrige », [1897], 1990.

compréhensive. Elle s'appuie sur le concept d'« affinités électives »[1] pour souligner l'interdépendance entre deux phénomènes et conduit à la construction et à la confrontation des types idéaux (§ 32) fondés sur les singularités distinctives des réalités observées. Cependant, l'opposition entre ces deux approches tend à être dépassée : l'introduction de nouveaux outils théoriques et méthodologiques rend possible leur mise en complémentarité au sein d'un même raisonnement comparatiste. De plus, la comparaison ne se limite pas à la seule objectivation de contrastes d'une configuration sociale à l'autre, mais tend également vers la compréhension des facteurs sociaux qui en sont au fondement, ainsi que de leurs dynamiques d'évolution. Elle appelle donc à s'ouvrir sur une perspective socio-historique et à mobiliser les apports d'autres champs disciplinaires tels que l'histoire sociale, l'économie des politiques publiques, la science politique ou l'ethnologie.

2 – Compréhension

La notion de compréhension est centrale pour les sciences humaines et sociales. Elle ne peut être évoquée indépendamment de son opposé, l'explication, à partir de laquelle elle se définit. La célèbre distinction de l'explication et de la compréhension est généralement associée à l'œuvre de Wilhelm Dilthey et rapportée à la façon dont ce dernier oppose les sciences de la nature et les sciences humaines. Contre le positivisme comtien, mais aussi contre celui de John Stuart Mill dont il dénonçait le naturalisme, Dilthey affirmait en 1883 que si « nous expliquons la nature, nous comprenons la vie psychique »[2]. À l'encontre de toute conception moniste de la science, Dilthey entendait ainsi

1. Max Weber, *L'éthique protestante et l'esprit du capitalisme*, Paris, Gallimard, [1905], 2004.
2. Wilhelm Dilthey, *Einleitung in die Geisteswissenschaften* (1883), trad. par Sylvie Mesure, *Introduction aux sciences de l'esprit*, Paris, Cerf, 1992.

souligner la spécificité irréductible des sciences humaines. Mais, trop elliptique, la distinction expliquer/comprendre, qui sera ensuite reformulée par Max Weber, pouvait facilement égarer en suggérant l'idée que toute dimension explicative devrait être bannie des sciences humaines, qui se trouveraient ainsi réduites à la seule démarche compréhensive. En réalité, situés dans l'espace et dans le temps, les objets des sciences humaines font eux aussi partie de la nature et sont soumis au principe de causalité et à la pratique de l'explication. Simplement, ce que Dilthey entendait souligner, c'est que les phénomènes humains étant également signifiants, ils évoquent l'idée d'une causalité intentionnelle des acteurs sociaux dont il faudrait, pour rendre compte de ces effets de sens, reconstituer les intentions et les décisions. Une approche compréhensive se trouvait donc requise dès lors que l'objet à connaître relevait non seulement de la nature, mais aussi du « monde de l'esprit » : complétant l'investigation causale, elle devait permettre aux sciences de l'homme de ne pas manquer leur objet dans ce qu'il a de plus spécifique et d'irréductible.

3 – Déontologie

Travaillant au contact de personnes humaines, le sociologue est soumis à interrogation morale sur sa manière de traiter ce matériau fragile. On trouve des équivalents de cette vigilance en médecine ou en psychologie. Toutefois, le projet de ces disciplines étant d'agir sur l'état de celui qui fait l'objet de l'investigation, cela fait de lui un décideur légitime pour autoriser ou refuser telle ou telle intervention. Le professionnel peut, lui, s'engager à garder le secret sur les informations qui lui sont communiquées. En sociologie les craintes ne visent pas principalement le moment de l'interaction du chercheur avec la personne privée de l'enquête, mais la diffusion publique des résultats qu'il en retire. Le consentement, aussi éclairé que possible, de la personne enquêtée à l'investigation semble une voie de bon sens pour protéger l'enquêté comme l'enquêteur, surtout qu'il est facile à obtenir quand l'investigation privée vise une formulation publique qui gomme l'identité de la personne comme dans le cas des traitements quantitatifs aboutissant à des tableaux statistiques (enquête par questionnaire). C'est plus difficile dans les investigations qui réclament des face à face approfondis avec des enquêtés (entretiens, observations directes). D'une part parce que ceux-ci peuvent toujours avoir un doute sur la réalité de la protection qu'on leur promet sur les informations personnelles qu'ils pourraient livrer. D'autre part, un exposé précis des intentions de recherche à des fins contractuelles n'est pas toujours chose facile s'agissant d'enquêtes suivant des démarches inductives de recherche. Les sociologues ne savent, en effet, pas toujours à l'avance au moment des rencontres sur le terrain où leur interrogation première les conduira. La compréhension sociologique se précise dans la durée. Il est donc nécessaire d'en tenir compte dans la conduite globale de l'investigation. Un contrôle après coup des productions par les pairs (à travers des comités de rédactions de revue, des conseils éditoriaux…) est souvent la meilleure solution pour garantir le respect de la vie privée par les sociologues.

4 – Dévoilement

Changer le regard, aller « voir derrière », dévoiler le monde social sont autant d'expressions qui permettent d'identifier le travail sociologique. Rompre avec le sens commun, s'affranchir des prénotions (§ 13) constitue une étape, mais à quelles fins ? Ce travail doit déboucher sur un questionnement nouveau. Il s'agit en fait de porter un regard neuf sur la réalité en l'interrogeant autrement. Prenons un exemple. Le dopage dans le sport est devenu un sujet d'actualité à tel point qu'une suspicion entoure désormais les exploits des athlètes de haut niveau. Le sociologue ne cherchera pas à commenter l'actualité immédiate. Il prendra des distances par rapport à ce qui est présenté publiquement comme un scandale ou comme un fléau à combattre. Il ne portera pas non plus de jugement normatif sur le comportement de tel ou tel athlète. Il tentera plutôt de répondre à la question : comment se fait-il que les sportifs se dopent ? Cette mise en énigme passe par plusieurs déplacements du regard. Ce n'est pas un cas qui intéresse le sociologue, mais le phénomène plus général du dopage. Premièrement, si celui-ci se produit régulièrement, c'est qu'il correspond à une pratique courante, presque banale, parfaitement intégrée dans le sport de haut niveau, comme une composante de la préparation physique médicalisée et encadrée par des spécialistes à la pointe de la recherche dans ce domaine. Deuxièmement, si cette pratique est régulière alors qu'il existe une prohibition du dopage et un risque de sanction, c'est qu'elle est dissimulée, qu'elle se développe en coulisse avec le consentement tacite des sportifs et de tous ceux qui les entourent. Le sociologue s'intéressera alors au secret qui entoure la préparation physique à la frontière inévitablement mince entre le suivi médical intensif, la recherche de la performance optimale et le dopage lui-même. Il prendra le sport comme une scène à laquelle les athlètes se préparent en dissimulant les recettes de leurs exploits un peu comme le magicien tient en secret ses propres tours. En procédant ainsi, il fera sans doute tomber le mythe de certains exploits sportifs, il dévoilera la face cachée du sport de haut niveau.

5 – Enquête

Discipline scientifique, la sociologie ne dispose pas de données élémentaires immédiatement disponibles et s'imposant d'évidence pour être traitées et prendre place dans ses raisonnements comparatistes. Elle doit procéder à des extractions du réel suivant des catégories qu'elle construit au travers d'une démarche raisonnée d'enquête. Cette construction des « données » est contrôlée en amont dans le cadre des démarches hypothético-déductives de recherche qui subordonnent un protocole d'indexation du réel à un système d'hypothèses entre lesquelles le traitement des données doit permettre de trancher. Cette construction est davantage contrôlée en aval dans les démarches inductives de recherche qui procèdent par rapprochements progressifs de phénomènes observés pour parvenir à rendre compte d'enchaînements complexes, de processus sociaux. Ils sont ensuite capitalisés et mis à l'épreuve par confrontation à d'autres configurations sociales pour juger de leur généralité.

Dans tous les cas, la mobilisation de techniques d'investigation (questionnaires, entretiens, observations directes, dépouillements documentaires…) réclame une réflexion sur leur adaptation à l'objet étudié et sur l'orientation théorique que chacune impose au traitement qui pourra être fait des données qu'elle permet de produire[1]. Leur mise en œuvre réclame aussi une grande vigilance pour tenir compte des phénomènes de rétroaction susceptibles de se produire entre enquêtés et enquêteurs : la relation d'enquête est, en effet, d'abord une relation sociale, justiciable de ce fait d'analyses en termes d'influence qu'il faut intégrer à l'interprétation des données d'enquête. Par suite, l'écriture sociologique, qui vise la conviction méthodique à défaut de pouvoir s'appuyer sur la preuve expérimentale[2], doit veiller à ne pas effacer les procédures de sélection et de construction de ses matériaux empiriques si elle veut autoriser la discussion scientifique.

6 – Hypothèse

La notion d'hypothèse peut prendre dans les différentes disciplines scientifiques des formes variables. Dans les sciences expérimentales et hypothético-déductives, l'hypothèse est le plus souvent l'expression d'un lien de

1. Pierre Bourdieu, Jean-Claude Chamboredon, Jean-Claude Passeron, *Le métier de sociologue. Préalables épistémologiques*, Paris, Éd. de l'EHESS, [1968], 2005.
2. Jean-Claude Passeron, *Le raisonnement sociologique. Un espace non poppérien de l'argumentation*, Paris, Nathan, 1991.

causalité entre un phénomène et un autre. Le lien que l'on peut établir entre un traitement et la disparition des symptômes d'une maladie peut fournir un exemple de ce type d'hypothèse. L'enjeu réside alors dans la conception d'un protocole expérimental permettant le contrôle des variables parasites et l'analyse empirique des liens entre variables explicatives (ou indépendantes) et variables expliquées (ou dépendantes). Dans les sciences sociales et tout particulièrement en sociologie, cette conception expérimentale et causaliste issue des sciences exactes et/ou cliniques n'est pas adaptée, dans la mesure où il s'agit d'observer des situations « naturelles », non expérimentales. Comme l'indique Émile Durkheim, « ce sont les variations concomitantes qui constituent l'instrument par excellence de la recherche en sociologie »[1]. Il est alors nécessaire de concevoir un modèle d'analyse, fondé sur l'organisation d'un certain nombre de concepts qui sont mobilisés et articulés dans la phase de construction de l'objet. Il en est ainsi par exemple dans le travail fondateur de Durkheim sur l'explication des variations des taux de suicide selon les types de société. Pour établir un lien entre le niveau de cohésion d'une société et les variations des taux de suicide, Durkheim commence par définir de manière opérationnelle ce qu'il entend par suicide, taux de suicide et indicateurs de cohésion sociale. Les hypothèses sont donc des propositions de réponse aux questions posées dans la mise en problème. Elles doivent être opératoires (vérifiables et/ou falsifiables) de manière à pouvoir être mises à l'épreuve empiriquement.

7 – Induction – déduction

Induction et déduction désignent deux procédures de raisonnement. L'induction correspond à un processus qui permet de passer du particulier (faits observés, cas

---

1. Émile Durkheim, *Les règles de la méthode sociologique, op. cit.*, p. 148.

singuliers, données expérimentales, situations) au général (une loi, une théorie, une connaissance générale). La déduction correspond au processus presque inverse qui permet de conclure (déduire) une affirmation à partir d'hypothèses, de prémisses ou d'un cadre théorique : les conclusions résultent formellement de ces prémisses ou de cette théorie.

Ces deux procédures de raisonnement sont des idéaux : aucune d'entre elles ne correspond à la réalité des pratiques scientifiques et des modalités de recherche en sociologie (comme dans toutes les autres sciences empiriques d'ailleurs), et il serait réducteur de croire que la démarche scientifique s'appuie nécessairement sur l'une ou l'autre de ces procédures. Lorsqu'ils ne sont pas réduits à ces idéaux, les termes induction et déduction désignent deux postures du chercheur.

La posture inductive accorde la primauté à l'enquête (§ 5), à l'observation, voire à l'expérience et essaie d'en tirer des leçons plus générales, des constats universaux : le sociologue cherche à établir quelques énoncés dont la validité dépasse le cadre de ses seules observations. La posture déductive accorde la primauté au cadre théorique, au corps des prémisses. Elle sera qualifiée d'hypothético-déductive si les énoncés ou résultats déduits de ce cadre théorique ou des prémisses sont soumis à une validation expérimentale : dans ce cas, le sociologue formule des hypothèses générales, puis en déduit des conséquences observables avant de vérifier que celles-ci sont effectivement bien conformes aux données de l'enquête empirique.

8 – Interprétation

Contrairement aux sciences expérimentales, le raisonnement sociologique se caractérise par un passage obligé par l'interprétation.[1] Que l'on enquête au moyen de méthodes

---

1. Jean-Claude Passeron, *Le raisonnement sociologique, op. cit.*

qualitatives ou quantitatives, on est toujours obligé de trier, au sein du matériau recueilli, les éléments que l'on juge significatifs pour l'analyse. Ce travail d'interprétation s'opère à plusieurs étapes : au cours d'une enquête ethnographique, par exemple, on ne cesse d'interpréter ce qu'on observe pour se constituer un rôle crédible dans l'espace de l'enquête. Puis, une fois l'ensemble du matériau recueilli, c'est en passant par l'interprétation que l'on choisit de mettre en exergue tel tri croisé (méthodes quantitatives, § 17), tel extrait d'entretien ou telle note d'observation (méthodes qualitatives, § 25). Enfin, les chiffres accumulés, les gestes observés ou les paroles entendues ne disent rien d'eux-mêmes ; c'est parce que le sociologue les compare et les relie les uns aux autres selon certaines grilles d'interprétation qu'ils débouchent sur des concepts. Il revient donc au sociologue de contrôler sa subjectivité lorsqu'il monte en généralité à partir des faits qu'il a établis empiriquement et de rendre compte des raisons de ses choix lorsqu'il restitue l'ensemble de son travail afin de prouver ce qu'il avance.

9 – Neutralité axiologique

La notion de « neutralité axiologique » *(Wertfreiheit)* à laquelle Max Weber consacra une importante étude en 1917[1] implique deux présupposés épistémologiques fondamentaux :

– le régime de la connaissance scientifique impose au savant une règle d'abstention par rapport à tout jugement de valeur : alors que la vocation de la science est de produire des énoncés universellement valides et susceptibles d'être partagés par tous, l'intervention de jugements de valeur, irrévocablement subjectifs, est de nature à compromettre l'objectivité scientifique ;

1. Max Weber, « Essai sur le sens de la neutralité axiologique dans les sciences sociologiques et économiques » in *Essai sur la théorie de la science,* trad. par Julien Freund, Paris, Plon, 1965.

– il est possible et souhaitable d'établir une distinction rigoureuse entre jugements de fait et jugements de valeur : bien que le savant ne puisse faire l'économie d'un certain « rapport aux valeurs » *(Wertbezug)*, ne serait-ce que parce que la réalité dont il traite – le monde social – est elle-même saturée de valeurs et que la constitution de son objet d'étude présuppose un certain intérêt, tout aussi orienté par des valeurs, il est tenu d'apporter des réponses objectives à des questions nécessairement subjectives.

Une telle distinction entre « rapport aux valeurs » et « jugements de valeur » n'est cependant pas aussi aisée que semblait le penser Max Weber. Elle a suscité d'ailleurs de nombreuses critiques dont les plus connues sont celles de Léo Strauss[1] et de Raymond Aron[2]. Elle exprime toutefois une idée centrale, une sorte d'impératif catégorique auquel doit obéir toute démarche scientifique : connaître n'est pas juger.

10 – Objet d'études

Il est fréquent de trouver dans les mémoires et les thèses de sociologie, ainsi que dans les introductions des ouvrages qui relèvent de cette discipline une partie intitulée : « La construction de l'objet d'études ». Généralement, le sociologue s'emploie dans un premier temps à parler de son sujet tel que celui-ci est généralement traité dans la vie courante. Qu'est-ce qui en fait un sujet dont on parle, qui questionne, qui intéresse ? Ce faisant, il prend son lecteur par la main en évoquant tout d'abord ce qui lui est familier et le conduit peu à peu vers une démarche scientifique qui passe par une série de ruptures avec le sens commun. La clarification des mots et des concepts est bien entendu

1. Léo Strauss, *Droit naturel et histoire,* Paris, Plon, 1954, chap. II, p. 367-433.
2. Raymond Aron, Préface à W. Weber, *Le savant et le politique,* trad. par J. Freund, Paris, Plon, 1959.

nécessaire, mais il s'agit surtout d'un nouveau questionnement, d'une nouvelle problématique qu'il convient de justifier à partir des travaux sociologiques existants, des hypothèses déjà vérifiées, mais de celles qui ne l'ont pas été encore. C'est précisément à ce stade que l'on peut parler d'un objet d'études construit, lequel ne peut plus se confondre avec le sens premier des questions dites d'actualité ou de société. Mais ce que le sociologue dit en quelques pages et qui semble simple est souvent le fruit d'une longue maturation. Le sociologue doit tout d'abord être capable de neutraliser ses sentiments ou de refouler ses passions. Il lui faut prendre conscience de ses préférences au moment même où il délimite le champ de ses investigations et s'efforcer de rendre compte de la façon la plus objective possible des limites et des inconvénients de la relation intime qu'il entretient le plus souvent avec son objet. C'est à cette condition qu'il pourra vraiment s'affranchir des prénotions et éviter les pièges de la sociologie spontanée. En définitive, construire un objet d'études en sociologie consiste à passer du sens commun au sens sociologique.

11 – Objectivation

Comment la sociologie peut-elle être « objective » et scientifique étant donné la nature des phénomènes sociaux qu'elle étudie et l'irréductible appartenance du sociologue à la société ? La démarche sociologique propose de construire son objet de recherche pour en permettre l'étude (§ 10) : elle recherche « l'objectivation » des faits sociaux.

Sur le modèle des sciences expérimentales, Durkheim propose de « considérer les faits sociaux comme des choses ». Cette posture permet de les regarder de l'« extérieur », avec un point de vue distancié qu'on espère moins « subjectif ». Par cette formule, Durkheim invite également au dénombrement statistique comme moyen de dépasser le cas singulier pour accéder au cas plus général. Il attend ainsi de sa méthode qu'elle soit *objective*, ce qui peut s'entendre en deux sens au moins : ni partiale ni partielle.

Karl Popper remet cependant en cause l'idée d'ériger la science expérimentale en modèle de « scientificité ». D'après lui, l'importance de l'outil doit être reconnue dans l'élaboration de la science et comme condition même de son exercice. Dans cette filiation, Pierre Bourdieu, Jean-Claude Passeron et Jean-Claude Chamboredon[1] soulignent combien l'exercice du métier de sociologue oblige à s'interroger sur la place que prennent ses propres convictions dans le raisonnement sociologique, le choix des hypothèses et l'élaboration des résultats. La « scientificité » passe par la reconnaissance de l'incompressible part de subjectivité ou d'arbitraire des choix d'analyse. Il faut également « objectiver » sa pratique plus que rechercher l'inaccessible objectivité. C'est par une approche réflexive sur les conditions d'utilisation des outils que l'on peut accéder à une meilleure connaissance des phénomènes sociaux, avec lucidité et discernement.

12 – Paradigme

Un paradigme est un ensemble cohérent d'hypothèses qui constitue un tout et qui offre au scientifique un point de vue sur les phénomènes qu'il étudie, une matrice qui conditionne son regard, une représentation du monde cohérente qui façonne sa manière de penser les phénomènes. En général, deux paradigmes sont incompatibles entre eux : les regards qu'ils portent sur le monde et les hypothèses qui les fondent ne peuvent pas être conciliés.

Cette notion, popularisée par les travaux de l'historien de sciences Thomas Kuhn sur l'évolution des sciences physiques[2], est d'usage courant en sciences sociales. Elle

1. *Le métier de sociologue, op. cit.*
2. Thomas Kuhn, *La structure des révolutions scientifiques*, Paris, Flammarion, 1972.

est employée pour désigner les structures théoriques générales (explicites et implicites) ou les courants de pensée au sein desquels prennent place des recherches, des enquêtes ou des analyses des phénomènes sociaux. Il est par exemple courant de parler du paradigme holiste (qui défend l'idée que la société ne se réduit pas à la somme de ses membres et qu'elle possède une force ou des propriétés qui s'imposent aux individus) ou du paradigme atomistique (qui défend l'idée que les interactions et les actions humaines concourent à elles seules, par leur multitude, à faire la société).

Un paradigme est porté par une communauté scientifique : c'est ce qui « fait autorité » à la fois intellectuellement et socialement au sein de cette communauté. D'un point de vue pratique, le paradigme s'incarne dans les articles et manuels publiés, dans les expériences et analyses conduites, dans les développements théoriques proposés. Ce concept renvoie donc, à la fois, à un aspect cognitif (son contenu : idées, théories, connaissances) et à un aspect social (son support : la communauté scientifique).

Notons enfin qu'elle présente de fortes similitudes avec la notion d'épistémè utilisée par Michel Foucault pour désigner les rapports entretenus par différents discours savants ou lettrés à une époque donnée.

13 – Prénotion

Durkheim appelle à rompre avec les prénotions (terme qu'il emprunte au philosophe Francis Bacon) avant et afin de s'engager dans une démarche sociologique. C'est là, selon lui, « la base de toute méthode scientifique »[1], dont le doute méthodique de Descartes ne serait qu'une application.

---

1. Émile Durkheim, *Les règles de la méthode sociologique, op. cit.*, p. 31.

Produits de l'expérience, les prénotions sont formées « par la pratique et pour elle »[1]. Elles sont donc indispensables à la vie en société. Par contre, d'un point de vue théorique, elles peuvent être non seulement fausses, mais également « dangereuses ». Si le sociologue travaille au niveau de ces idées toutes faites, il développe en effet une « analyse idéologique » et non une « science des réalités »[2] ; il n'accède pas aux choses, mais à un « substitut » de celles-ci. Ces prénotions sont en outre trompeuses : « Elles sont [...] comme un voile qui s'interpose entre les choses et nous et qui nous les masque d'autant mieux qu'on le croit plus transparent. »[3] Toutes les sciences sont confrontées à cette nécessité de rompre avec les prénotions, démarche « qui différencie l'alchimie de la chimie, comme l'astrologie de l'astronomie ».[4] Mais, selon Durkheim, c'est en sociologie qu'il est le plus difficile de s'en affranchir. En effet, nous avons tous des idées sur la société, l'État, la famille, la justice, etc. Il s'agit de termes que l'on emploie sans cesse dans le langage courant et qui produisent en nous « des notions confuses, mélanges indistincts d'impressions vagues, de préjugés et de passions ».[5]

Dans une perspective durkheimienne, les auteurs du *Métier de sociologue* invitent à la « vigilance épistémologique » par rapport « à l'illusion du savoir immédiat » et à toute forme de « sociologie spontanée »[6]. Ils mentionnent comme techniques d'objectivation : la mesure statistique, la définition préalable et la « critique logique et lexicologique du langage commun »[7].

1. *Ibid.* p. 16.
2. *Ibid.* p. 15.
3. *Ibid.* p. 16.
4. *Ibid.* p. 17.
5. *Ibid.* p. 27.
6. *Le métier de sociologue, op. cit.*, p. 27.
7. *Ibid.* p. 28.

14 – Réflexivité

En un premier sens, la réflexivité est le mécanisme par lequel le sujet se prend pour objet d'analyse et de connaissance. Pour le sociologue, cette posture consiste à soumettre à une analyse critique non seulement sa propre pratique scientifique (opérations, outils et postulats), mais également les conditions sociales de toute production intellectuelle. Gouldner plaide ainsi pour une sociologie réflexive[1], comme Bourdieu à sa suite[2] : le sociologue ne peut produire une connaissance rigoureuse du monde social sans se livrer à une entreprise de connaissance de soi (de son travail, de sa position sociale, de sa vie).

Compte tenu de son objet – et même si c'est à des degrés divers selon les approches –, la sociologie appartient à la science réflexive. Elle joint en effet ce que la science positive sépare : « l'acteur et l'observateur, le savoir et la situation sociale, le contexte d'enquête et son champ d'inscription sociale, les conceptions du sens commun et la théorie savante. »[3]. Cette posture apparaît d'autant plus nécessaire que le sociologue est confronté à des individus eux-mêmes réflexifs.

En un second sens, la réflexivité est ainsi considérée par certains sociologues comme une dimension existentielle générale et caractéristique des individus de la modernité tardive (qualifiée aussi de « modernité réflexive »)[4]. Dans un monde où le savoir critique en permanence le savoir et où les formes de la vie traditionnelle (famille, religion…)

---

1. Alvin Ward Gouldner, *The Coming Crisis of Western Sociology*, New-York, Avon Books, 1970.
2. Pierre Bourdieu, Loïc Wacquant, *Réponses*, Paris, Seuil, 1992.
3. Michael Burawoy, « L'étude de cas élargie. Une approche réflexive, historique et comparée de l'enquête de terrain » *in* Daniel Cefai (dir.), *L'enquête de terrain*, Paris, La Découverte, 2003, p. 438.
4. Voir Ulrich Beck, Anthony Giddens, Scott Lash, *Reflexive Modernization. Politics, Tradition and Aesthetics in the Modern Social Order*, Cambridge, Polity Press, 1994 ; Anthony Giddens, *Modernity and Self-Identity. Self and Society in the Late Modern Age*, Cambridge, Polity Press, 1991.

perdent de leur emprise, non seulement les incertitudes et les doutes sont plus prégnants, mais une pluralité de mondes et de styles de vie s'offre aux individus. Ces derniers peuvent, en principe, réfléchir librement sur la vie qu'ils entendent mener. Cette opération réflexive et les ressources qu'elle mobilise participent de la construction et de la cohérence de l'identité personnelle (§ 56).

Chapitre II

MÉTHODES

15 – Autoanalyse, socioanalyse

La notion d'autoanalyse est empruntée au langage freudien. Au terme d'un travail réflexif réalisé sur et par lui-même avec l'aide d'un tiers, Sigmund Freud établit cette méthode d'investigation pour identifier, analyser et travailler les opérations de l'activité psychique.

Cette notion est mobilisée de façon diverse au sein de la sociologie. Mécanisme clé d'une sociologie réflexive (§ 14), l'autoanalyse est, selon Bourdieu, une entreprise de connaissance de soi qui ne se réduit pas à « un retour intimiste et complaisant sur la personne privée du sociologue ». Elle se propose d'explorer « l'inconscient scientifique du sociologue »[1], mais ici sans le recours à un tiers. La socioanalyse consiste à faire de même en prenant pour objet le champ scientifique, comme il s'y emploie dans *Homo academicus*[2]. Dans les deux cas, il s'agit d'analyser les effets des déterminations sociales qui pèsent sur toute production intellectuelle.

Par ailleurs, les sociologues qui accordent aux individus conscience pratique et capacités réflexives placent l'autoanalyse des acteurs et des groupes au cœur de leurs dispositifs méthodologiques. Conçue par Alain Touraine, la méthode de l'intervention sociologique consiste à créer les conditions d'une autoanalyse d'un groupe d'acteurs au moyen de confrontations à d'autres acteurs et de la

---

1. Pierre Bourdieu, Loïc Wacquant, *Réponses, op. cit.,* p. 52.
2. Pierre Bourdieu, *Homo academicus*, Paris, Minuit, 1984.

médiation des chercheurs. Ce travail doit amener l'acteur à envisager le point de vue de la relation sociale et du champ social de son action. La connaissance sociologique produite relève alors de « l'analyse d'une autoanalyse »[1]. Un principe semblable est retenu par la sociologie clinique[2], qu'elle porte sur des individus ou des organisations. Dans ce dernier cas, elle s'inscrit dans une tradition ouverte par l'analyse institutionnelle[3] qui se présente comme une socioanalyse des organisations (§ 66) afin d'explorer les dimensions symboliques et imaginaires de toute institution.

16 – Analyse longitudinale

La plupart des enquêtes sociologiques quantitatives réalisées en France sont des enquêtes « transversales », c'est-à-dire qu'elles visent à connaître les situations, les pratiques et les opinions des personnes interrogées à un moment donné. Pourtant, la sociologie, si l'on tire l'ensemble des conséquences de l'affirmation selon laquelle elle est une « science de l'observation historique »[4], se doit de reconstituer le « cours historique du monde » dans lequel les phénomènes qu'elle observe sont pris... Elle se doit donc de disposer de données « longitudinales » : habituellement, la sociologie y parvient en reconduisant régulièrement les enquêtes en coupe transversale, pour observer les évolutions des grandes variables descriptives des comportements dans de nombreux domaines. On peut citer, parmi de très nombreuses enquêtes, les recensements de la population générale, réalisés tous les sept ou huit ans avant de devenir annuels depuis le début

1. Alain Touraine, *La voix et le regard*, Paris, Seuil, 1978.
2. Vincent de Gaulejac, Fabienne Hanique, Pierre Roche *La sociologie clinique. Enjeux théoriques et méthodologiques*, Ramonville-Saint-Agne, Erès, 2007.
3. Voir Georges Lapassade « Analyse institutionnelle et socioanalyse », *Connexions*, n° 7, 1973.
4. Jean-Claude Passeron, *Le raisonnement sociologique, op. cit.*

du siècle ; les enquêtes « Emploi » annuelles de l'INSEE ; ou encore les enquêtes du ministère de la Culture sur les « pratiques culturelles des Français », inaugurées en 1973.

Mais en réalité, ces séries d'enquêtes transversales, si elles permettent de mesurer l'évolution des grandes variables (le taux d'emploi, la proportion de Français qui vont au musée...), ne disent rien des processus de transition entre les « états » qu'elles photographient ainsi, ni *a fortiori* des réfractions de ces processus à l'échelle des individus. Pour les atteindre, on peut recourir à des enquêtes rétrospectives permettant de reconstituer les trajectoires et les « histoires de vie » des enquêtés[1], mais celles-ci peuvent être biaisées par les défaillances et les reconstructions associées aux processus de remémoration sur lesquelles elles reposent.

Pour éviter ces biais, il faut alors procéder à ce qu'en démographie et en sociologie on appelle « l'analyse longitudinale »[2], autrement dit, l'analyse des données d'enquêtes portant sur des « panels » : les panels sont des échantillons de personnes interrogées plusieurs fois successivement au cours du temps. La plus spectaculaire de ces enquêtes est peut-être la *Birth Cohort Study* britannique commencée en 1946 : le panel est toujours suivi, et sur les 5 000 individus nés en 1946 qui le constituaient à l'origine, il en rassemble encore 3 500, qui ont déjà été interrogés 21 fois depuis le début de l'enquête. Même si le coût de telles enquêtes est important, même si les panels posent des problèmes méthodologiques inédits, liés notamment à l'attrition de l'échantillon (la réduction progressive de sa taille au cours du temps, par décès ou abandon, qui affecte sa représentativité), les gains en termes de connaissances

---

1. France Guérin-Pace, Olivia Samuel et Isabelle Ville, *En quête d'appartenances. L'enquête Histoire de vie sur la construction des identités*, Éditions de l'INED, coll. « Grandes enquêtes », 2009.
2. Alain Degenne, *Introduction à l'analyse des données longitudinales*, Sciences Humaines, coll. « Méthodes quantitatives pour les sciences sociales », 2001.

restent considérables : l'analyse longitudinale permet de reconstituer les trajectoires individuelles et les logiques de leurs transformations, d'y démêler les effets des appartenances générationnelles et les effets du vieillissement, et d'ainsi atteindre le cœur des relations de causalité entre phénomènes sociaux d'une façon que les séries transversales ne permettent que rarement.

17 – Analyse quantitative

L'analyse quantitative désigne l'ensemble des méthodes et des raisonnements utilisés pour analyser des données standardisées (c'est-à-dire des informations dont la nature et les modalités de codage sont strictement identiques d'un individu ou d'une situation à l'autre). Ces données résultent souvent d'une enquête par questionnaire mais peuvent également être produites par le codage de documents d'archives, de dossiers administratifs, de sources sonores ou visuelles.

S'appuyant sur des méthodes statistiques (qui sont conçues comme des outils d'analyse des grandes séries de données), l'analyse quantitative produit des informations chiffrées (pourcentages, probabilités, effectifs, ratios, classifications, indicateurs de liaison…). Ces chiffres ne constituent toutefois pas une fin en soi : le sociologue les utilise pour étayer son raisonnement, pour identifier des faits… Les chiffres ne sont que des intermédiaires ou des étapes dans le cheminement qui va de l'enquête (§ 5) à la présentation des résultats de l'enquête. Ils permettent de saisir des régularités dans les comportements (ou attitudes ou opinions), des liens entre des variables (décrivant des comportements, attitudes, caractéristiques sociales des situations ou des individus), d'estimer la fiabilité d'un résultat établi sur un échantillon (§ 22), de classer des individus ou des situations, de hiérarchiser les facteurs concourants à la production d'un fait social.

L'analyse quantitative offre au sociologue, au même titre que l'analyse qualitative, des outils pour l'accompagner dans son raisonnement, dans sa démarche empirique, dans sa recherche et son analyse des données d'enquête. Elle ne se suffit pas à elle-même.

18 – Catégorie

Ensemble d'individus ou de choses réunis sous un même terme parce qu'ils partagent certaines caractéristiques ou présentent des similarités. Une catégorie désigne un « groupe » ou une « classe » d'individus qui n'ont pas toujours une existence sociale effective.

La construction d'un objet de recherche sociologique s'apparente toujours à une réflexion sur les « catégories ». Elle suppose en effet une remise en cause de celles du sens commun ou des institutions sociales. La recherche peut décrire l'évolution du sens ou du contenu d'une catégorie et éventuellement en proposer de nouvelles. Les catégories sont également à la base du dénombrement statistique. Il faut en effet pouvoir reconnaître et nommer une chose avant de pouvoir la compter.

Toute catégorie est une construction sociale et historique établie à un moment donné pour répondre à des exigences précises et circonstanciées. Elle offre donc une représentation toujours partielle et discutable du phénomène décrit et reste susceptible d'enfermer la pensée dans des hypothèses routinières et normatives, peu sensibles aux changements. Durkheim mettait déjà en garde contre l'inconvénient d'une telle « mise en boîte » de la réalité, peu propice, d'une certaine façon, aux découvertes[1]. Négliger le caractère construit d'une catégorie expose le sociologue à diffuser l'idéologie implicite sur laquelle elle repose, ou à la réifier.

19 – Classification

« Une classification doit, avant tout, écrit Émile Durkheim, avoir pour objet d'abréger le travail

---

1. Émile Durkheim, *Les règles de la méthode, op. cit.,* p. 32.

scientifique en substituant à la multiplicité indéfinie des individus un nombre restreint de types. »[1] Elle vise à répartir un ensemble d'individus ou plus généralement d'éléments selon un ou plusieurs de leurs traits caractéristiques. Elle permet ainsi une représentation simplifiée et organisée de phénomènes complexes. La classification repose sur un principe de mise en équivalence des unités au sein d'une même catégorie et de différenciation des catégories les unes par rapport aux autres. Elle est donc fondamentalement dialectique : ce qui rapproche ou rassemble les individus au sein d'une même classe, les oppose ou les distingue de ceux des autres classes.

La classification désigne à la fois l'opération de distinction et de regroupements des unités en « classes » ou « catégories » et le produit de cette opération (la dénomination de ces catégories). La recherche sociologique peut s'intéresser aux classifications « indigènes » c'est-à-dire celles qui sont élaborées dans une société ou un groupe social à des fins pratiques (la classification des styles musicaux effectués par les jeunes par exemple). Elle peut également élaborer ses propres classifications (« savantes ») énoncées *a posteriori* comme le résultat d'une analyse. Celles-ci peuvent être qualitatives (élaboration d'une typologie) ou reposer sur une procédure statistique (la CAH, classification ascendante hiérarchique, par exemple) qui permet d'automatiser les opérations visant à regrouper les individus en un petit nombre de classes chacune très homogène, mais très différentes les unes des autres.

20 – Corpus

Qu'analysent les sociologues ? D'un point de vue méthodologique, la réponse à cette question est extrêmement simple, au moins en première instance : les sociologues analysent des « corpus », autrement dit des ensembles

1. *Ibid.* p. 79.

de matériaux empiriques constitués selon une logique précise, guidée par les problématiques de leur recherche. Si la notion de corpus a traditionnellement servi à désigner, en littérature et en linguistique, des ensembles de textes, en sociologie son usage se révèle moins restrictif : les corpus sur lesquels reposent les analyses sociologiques peuvent bien sûr être des ensembles de matériaux langagiers (écrits de toutes sortes, des œuvres littéraires aux échanges sur des forums de discussion, transcriptions d'entretiens, comptes rendus d'observations...), mais aussi de documents audiovisuels (enregistrements audio ou vidéo, photographies...), de données quantitatives, comme dans le cas des grandes enquêtes statistiques réalisées par l'INSEE ou l'INED en France... Dans tous les cas, y compris dans ceux où les corpus ainsi constitués sont le produit d'enquêtes ethnographiques et sont ensuite analysés à l'aide des techniques de la sociologie qualitative, il est indéniable que les activités de constitution, d'exploration, d'analyse et de conservation des corpus des recherches en sociologie ont largement profité des progrès techniques des outils numériques et informatiques de stockage et de traitement des informations.

Mais derrière l'évidence apparente de cette réponse – les sociologues analysent des corpus –, il y a une prise de position qui engage en réalité une conception déterminée de la sociologie : tout d'abord, en affirmant cela, les sociologues auteurs de ce « lexique » de la discipline récusent clairement l'idée, parfois avancée à ses marges, d'un « tournant postempiriste » en sociologie, selon lequel l'établissement de la preuve à travers l'enquête empirique n'en serait plus un objectif essentiel [1] ; ensuite, ils insistent sur le fait que ce qui caractérise fondamentalement un corpus, outre le fait qu'il rassemble des matériaux empiriques,

---

1. Patrick Tacussel, « La sociologie interprétative. Un tournant post-empiriste dans les sciences humaines en France » *in* Berthelot Jean-Michel (dir.), *La sociologie française contemporaine*, Paris, PUF, 2000, p. 117-127.

c'est que ce rassemblement est guidé par une problématique, et par le choix de techniques d'analyse accordées à
cette problématique : affirmer que la sociologie analyse des
corpus, c'est donc défendre bien sûr l'idée qu'elle analyse
des matériaux empiriques, mais aussi, indissociablement,
qu'elle les sélectionne en mettant en œuvre une méthode et
des techniques déterminées, et accordées à ses objectifs de
recherche. La sociologie analyse des données… mais des
données qui ne sont pas « données », mais construites –
c'est aussi ce travail de construction des données empiriques que sert à désigner la notion de corpus.

21 – Corrélation

Au sens strict, la corrélation désigne la liaison statistique entre deux variables quantitatives, autrement dit entre
deux variables continues enregistrant des observations
de « grandeurs » comme l'âge, la taille, le revenu, la fréquence d'une pratique. Cette liaison statistique peut être
représentée par un graphique de corrélation, dans lequel
chaque individu est figuré par un point ayant pour abs-
cisse la valeur de la première variable, et pour ordonnée la
valeur de la seconde : le « nuage de points » ainsi obtenu
permet de caractériser la liaison entre les deux variables,
à la fois dans son intensité (plus le nuage est fin et étiré,
plus la liaison est forte), son sens (si le nuage s'étire du
coin inférieur gauche vers le coin supérieur droit du dia-
gramme, la liaison est positive, dans le cas contraire elle
est négative) et sa forme (la corrélation est dite « linéaire »
si le nuage semble s'ajuster le long de la droite).

Dans ce dernier cas, au-delà de sa représentation graphique, la corrélation linéaire est mesurée à l'aide d'un coefficient de corrélation qui varie entre – 1 et + 1, en fonction
du sens et de la force de la liaison. Plus le coefficient de
corrélation est proche de 0, plus la liaison est faible ; plus
il s'en éloigne, plus elle est forte au contraire, sachant que
les valeurs négatives indiquent des corrélations inverses : si
dans une enquête donnée, le coefficient de corrélation entre

âge et fréquence des appels téléphoniques est négatif, cela signifie que les âges élevés sont statistiquement associés à des fréquences d'appel faibles, et inversement.

Cela étant dit, les sociologues ont de la notion de corrélation un usage moins restrictif que les statisticiens. Ils parlent souvent de corrélation entre deux variables s'ils constatent que l'attribution des valeurs de certaines variables ne se fait pas par hasard, c'est-à-dire si les valeurs de l'une dépendent des valeurs de l'autre, ou inversement – et cela aussi bien dans le cas de deux variables qualitatives que dans le cas de deux variables quantitatives, ou dans le cas de l'analyse de la liaison d'une variable quantitative et d'une variable qualitative.

22 – Échantillon

La sociologie est une science empirique et, à ce titre, elle doit étudier des phénomènes sociaux réels. Mais, ne pouvant pas saisir toutes les situations sociales, tous les comportements de tous les individus, elle construit ses analyses sur des observations, des mesures ou des questionnements auprès d'un « morceau », une « parcelle » de la réalité. Cette « parcelle » constitue l'échantillon étudié.

Par exemple, un sociologue travaillant sur les conditions de vie des ouvriers interrogera un échantillon d'ouvriers ; un sociologue menant une analyse des pratiques festives des étudiants réalisera des observations dans quelques soirées étudiantes et questionnera quelques-uns des étudiants fréquentant ces soirées. Un échantillon peut être constitué d'un ensemble de personnes, de ménages, de situations, de moments.

Il n'existe aucun principe universel garantissant la pertinence d'un échantillon ni aucune technique permettant l'automatisation du choix des individus interrogés ou des situations enquêtées. Même la taille de l'échantillon n'est pas une garantie de qualité et de pertinence. En fonction de l'approche choisie (plutôt inductive ou plutôt déductive ; quantitative ou qualitative ; monographique ou comparative) et des caractéristiques du terrain (bien ou mal connu, d'accès facile ou difficile, étendu ou restreint), les principes d'élaboration de l'échantillon seront différents et se poseront avec plus ou moins d'acuité. La recherche de résultats représentatifs de l'ensemble d'une population et d'estimations numériques précises suppose par exemple que l'échantillon soit conçu en respectant des principes statistiques précis (échantillonnage aléatoire, stratification ou méthodes des quotas). S'il s'agit d'analyser la diversité des situations ou la variabilité des comportements, l'échantillon devra avant tout permettre de saisir les situations les plus contrastées et différentes possibles. Et s'il s'agit d'étudier un groupe particulier ou une situation sociale singulière, l'échantillon s'imposera de lui-même.

23 – Entretien

L'entretien sociologique emprunte nombre de ses caractéristiques à la démarche clinique[1]. Il est plus ou moins « directif », selon que l'enquêteur intervient beaucoup ou peu dans le discours de la personne enquêtée. Il peut ainsi adopter la logique du questionnaire (§ 29), c'est-à-dire en suivant une grille de questions stricte, quoique dans une attention plus grande à la formulation des réponses que dans le cadre d'une approche exclusivement quantitative ; il cherche alors à comparer les discours, question par question. Mais l'enquêteur peut laisser son interlocuteur libre dans l'agencement de ses propos ; à la grille d'entretien se conjugue alors le fil biographique pour guider l'interrogation.

L'entretien individuel est le plus fréquent, parce qu'il donne accès à une parole moins contrainte par le regard d'autres personnes que l'enquêteur. Ce dernier peut néanmoins favoriser des entretiens collectifs pour mettre en présence des acteurs couramment en contact et saisir la façon par

1. Jean Piaget, *La représentation du monde chez l'enfant*, Paris, PUF, 1926.

laquelle s'affrontent et souvent s'agencent les perceptions, notamment dans des formes sociales organisées.

Attentif au contenu comme à la forme des discours recueillis, le sociologue doit s'efforcer de ne pas accentuer l'asymétrie inévitable d'un échange qu'il a suscité, qu'il s'approprie finalement (à des fins de connaissance et de carrière professionnelle) et dans lequel, le plus souvent, il occupe une place socialement dominante. Sans pouvoir jamais considérer la relation d'enquête comme neutralisée, le sociologue en fait un objet d'analyse pour préciser ce que les paroles recueillies en entretien lui apportent dans l'éclairage des pratiques sociales observées hors de lui[1] et du sens que les acteurs leur donnent[2].

24 – Ethnographie

La notion d'ethnographie désigne une méthode d'enquête développée au sein de l'anthropologie culturelle ou ethnologie[3], mais dont se réclament également les sociologues, notamment ceux qui revendiquent leur filiation avec l'École de Chicago. S'il n'en existe pas de définition consensuelle, celle avancée par Louis M. Smith[4] a le mérite d'être fondée sur l'analyse des travaux de trois grandes figures de l'anthropologie et de la sociologie américaines – Bronislaw Malinoswski, William F. Whyte et Clifford Geertz – représentant les courants fonctionnaliste, interactionniste et interprétatif. Elle distingue six traits caractéristiques : 1/ le séjour prolongé dans la communauté étudiée permettant de recueillir des informations grâce à l'observation participante ; 2/ la focalisation sur les activités

---

1. Stéphane Beaud, « L'usage de l'entretien en sciences sociales. Plaidoyer pour l'« entretien ethnographique », *Politix*, 1996, n° 35.
2. Jean-Claude Kaufmann, *L'entretien compréhensif*, Paris, Nathan, 1996.
3. Jean Copans, *L'enquête ethnologique de terrain*, Paris, Nathan, 1998.
4. Louis M. Smith., « Ethnography », *Encyclopedia of Educational Research*, 5th edition, New York, Macmillan, 1982.

quotidiennes ; 3/ l'intérêt porté au sens que les acteurs attribuent à leur action ; 4/ la production de comptes-rendus donnant la priorité à la contextualisation et à la cohérence interne des phénomènes observés ; 5/ la tendance à concevoir le cadre interprétatif comme une construction progressive plutôt que comme la mise à l'épreuve d'un ensemble d'hypothèses définies à l'avance ; 6/ des modalités de présentation des interprétations mariant volontairement narration, description et conceptualisation théorique.

25 – Méthodes qualitatives

Les méthodes qualitatives se distinguent des méthodes quantitatives (§ 17) par leur focalisation sur un nombre réduit de cas et par l'attention accordée à une analyse en profondeur des processus sociaux ainsi qu'au sens que les acteurs attribuent aux situations. Les plus fréquemment utilisées par les sociologues sont l'entretien (§ 23) et l'observation directe à quoi s'ajoute parfois le recours, moins fréquent que chez les historiens, à la collecte documentaire. Ces différentes méthodes peuvent être combinées dans le cadre d'enquêtes de terrain ou utilisées séparément.

La validité d'enquêtes fondées sur des méthodes qualitatives repose sur la mise en œuvre de procédures de triangulation dans la collecte des données et de « saturation » des hypothèses dans l'analyse des matériaux. Elle dépend aussi de la cohérence et du caractère englobant des interprétations. Afin de pouvoir généraliser leurs résultats, il est nécessaire de limiter l'« encastrement conceptuel » propre à ce type d'enquêtes par des échantillonnages et des comparaisons raisonnées permettant d'aboutir à une « jurisprudence de cas »[1], ainsi que par un va-et-vient constant entre les propriétés structurelles et les propriétés situationnelles des réalités étudiées[2].

1. Barney G. Glaser, Anselme L. Strauss, *The Discovery of Grounded Theory. Strategies for Qualitative Research*, Chicago, Aldine Pub. Co., 1967.
2. Olivier Schwartz, « L'empirisme irréductible », postface à Nels Anderson, *Le Hobo. Sociologie du sans-abri,* Paris, Nathan, 1993.

26 – Modélisation

La modélisation consiste en une représentation stylisée des relations entre les faits sociaux, porteuse d'une visée explicative, qui constitue une des formes possibles de la connaissance en sciences sociales. La parcimonie du modèle tranche de ce point de vue avec le souci d'exhaustivité du récit ou de la description, qui visent davantage à la compréhension des phénomènes. Toute modélisation est porteuse d'une visée explicative, qui n'est pas nécessairement définie par la recherche de relations de causalité entre les indicateurs retenus pour la mesure des faits jugés pertinents. Le modèle causal emprunté aux sciences de la nature cohabite avec les modèles probabiliste ou relationnel (comme dans les modèles de champ (§ 39) chez Pierre Bourdieu, notamment) et la modélisation ne signifie pas nécessairement l'exclusion radicale de la subjectivité des acteurs. La modélisation en sciences sociales, qui procède de la formulation d'hypothèses par un processus de déduction logique, n'est de surcroît jamais purement spéculative : la portée du modèle est évaluée à l'aune de sa confrontation avec la réalité empirique. Pour ce faire, la modélisation recourt principalement, mais non exclusivement aux outils et techniques de l'inférence statistique, qui consiste à induire les caractéristiques inconnues d'une population à partir d'un échantillon (§ 22) issu de cette population, moyennant une marge d'erreur liée aux caractéristiques de l'échantillon. Elle est ainsi indissociable de la mobilisation des méthodes d'analyse multivariée (régressions linéaire et logistique, notamment) qui, à travers la recherche des corrélations significatives et l'identification des effets, caractérise le langage de la sociologie des variables.

27 – Nomenclature

Une nomenclature désigne l'ensemble des termes techniques qui permet de décrire précisément et méthodiquement une collection d'individus, d'événements, d'activités, etc. selon un point de vue théorique. Un code est généralement associé à chaque catégorie de la nomenclature.

La nomenclature a une visée opérationnelle : elle doit permettre de ranger chaque unité dans une et une seule catégorie (§ 18) suivant des principes explicites, relativement faciles d'emploi et reproductibles. Elle sert de référence par rapport à des classifications indigènes ou des typologies sociologiques parce qu'elle repose sur un consensus académique, politique, économique ou social.

C'est le cas par exemple de la nomenclature des PCS (Professions et catégories socioprofessionnelles) qui ont été établies par L'INSEE en 1982 dans un contexte de négociations entre statisticiens, sociologues, politiques et représentants professionnels. Celle-ci cherche à décrire, sans le hiérarchiser, l'espace des positions professionnelles ainsi que les milieux sociaux qu'elles refléteraient d'un point de vue économique et culturel.

L'usage de nomenclatures assure une homogénéité et une pérennité dans la façon de classer qui s'avère particulièrement utile dans les comparaisons (§ 1) temporelles, spatiales, etc. Les nomenclatures ne sont pas un simple outil d'enregistrement de la réalité. Pour les utiliser à bon escient, il est indispensable de bien connaître leurs objectifs et les logiques qui ont présidé à leur construction afin de comprendre ce qu'elles représentent exactement.

28 – Observation

Née dans le sillage des grandes transformations associées à la révolution industrielle, la sociologie forme son discours dans un environnement où l'approfondissement d'observations systématiques de phénomènes mécaniques a eu raison d'énigmes autour du mouvement et de l'énergie. Visant à constituer une « physique sociale », la sociologie se définit comme discipline d'observation scientifique des phénomènes sociaux. Elle fait dériver ses énoncés de deux grands types d'observation. D'une part, des observations portent sur des traces laissées par les pratiques sociales ou s'appuient sur des témoignages d'acteurs sociaux sur leurs pratiques les plus diverses, recueillis au moyen de questionnaires ou d'entretiens. On peut les qualifier d'observations indirectes en ce sens qu'elles ne donnent pas exactement accès aux pratiques qu'on souhaite saisir, mais les laissent deviner ou confient à d'autres leur relevé. D'autre part, des observations sont menées par les sociologues de terrain au plus près des situations dans lesquelles interviennent les pratiques. On les appelle alors observations directes. Elles portent sur tout ce qui se donne à voir et à éprouver immédiatement dans la situation étudiée. Leur recueil suppose des formes plus ou moins intenses de participation du sociologue à la situation qu'il investigue pour qu'aucune distance n'abolisse l'acuité de son regard et pour que sa présence ne conduise pas les acteurs observés, gênés, à altérer leurs conduites. Il doit se garder les moyens de réfléchir sur l'effet de perturbation susceptible d'avoir été induit par sa posture d'observation. Par cette voie délicate, le sociologue accède à des informations qui ne peuvent être saisies autrement : soit qu'elles soient méconnues des acteurs (§ 34) eux-mêmes, soit qu'ils les considèrent comme indignes d'être communiquées à l'enquêteur dans la relation qu'ils nouent avec lui, ou bien encore qu'elles ne soient pas recherchées par les sociologues faute qu'ils en aient l'idée.

29 – Questionnaire

L'enquête par questionnaire constitue une des méthodes courantes de la sociologie, consistant à recueillir des informations très standardisées (c'est-à-dire strictement et facilement comparables d'un individu ou d'une situation à l'autre) grâce à un protocole unique et supposé être adapté à tous, déterminé par la problématique. En cela, le questionnaire se différencie des protocoles d'enquête plus inductifs qui laissent le terrain « parler de lui-même » (comme dans les approches ethnographiques – § 24) ou qui donnent la parole aux individus pour qu'ils s'expriment librement sur un thème (comme dans les enquêtes par entretiens ouverts ou compréhensifs – § 23). Les conditions de passation comme les questions posées et réponses proposées aux enquêtés sont strictement les mêmes d'un individu à l'autre.

L'intérêt de cette standardisation réside essentiellement dans la possibilité de pouvoir repérer des régularités dans les comportements (ou attitudes, ou opinions), d'analyser les relations statistiques existantes entre différents comportements et de rendre compte des variations de comportements en fonction des caractéristiques sociales des individus. Par exemple, un questionnaire portant sur les pratiques culturelles des Français permettra d'établir les fréquences relatives des diverses pratiques (regarder la télévision, aller au cinéma, visiter un musée...), de souligner les liens pouvant exister entre les pratiques de lecture et les pratiques de visite de musée, et de déterminer les variations de ces pratiques en fonction du sexe ou de l'âge.

D'un point de vue concret, un questionnaire est un ensemble de questions généralement « fermées », c'est-à-dire accompagnées d'une liste de réponses préétablies. D'un point de vue théorique, les questions posées dans un questionnaire résultent directement de la problématique choisie et des indicateurs empiriques dont le sociologue va avoir besoin pour objectiver le phénomène social qu'il souhaite étudier (§ 11). Malgré son apparente simplicité et les usages réducteurs qu'en font parfois des sociétés d'études cherchant à saisir la popularité d'un homme politique ou la qualité d'un yaourt, un questionnaire sociologique est la traduction pratique rigoureuse d'une problématique sociologique théorique.

30 – Récit de vie

Ce type d'entretien, qui prend plus largement place dans ce que l'on qualifie la « méthode biographique », est un type d'entretien particulier puisqu'il est demandé à quelqu'un de se remémorer sa vie et de raconter son expérience propre. Le dispositif est simple : il n'est pas fondé sur un jeu de questions/réponses à partir d'une grille d'entretien, mais sur l'énoncé d'une consigne initiale qui invite le narrateur à faire le récit de la totalité chronologique de sa vie ou d'une partie, selon l'objectif poursuivi par l'enquêteur. Le sociologue peut faire des relances, poser des questions, mais il doit veiller à ce que l'entretien suive la voie choisie par le narrateur. L'intérêt sociologique du récit de vie réside en effet dans cet ancrage subjectif : il s'agit de saisir les logiques d'action selon le sens même que l'acteur confère à sa trajectoire. Loin de singulariser les cas, la méthode du récit de vie permet de situer le réseau dans lequel le narrateur se positionne et d'inscrire les phénomènes sociaux dans un enchaînement de causes et d'effets. Le récit de vie permet de mettre en lumière les processus (§ 68).

Pierre Bourdieu a reproché au genre du récit de vie de produire de l'« illusion biographique » : le narrateur lisserait les aspérités de son existence en la rendant, rétrospectivement, cohérente. Sans nier cette dimension, les sociologues qui usent de la méthode biographique cherchent au contraire à mettre en évidence l'argumentaire défendu par le narrateur qui se fait alors le porte-parole d'un groupe social.

31 – Tableau croisé

Si les statisticiens préfèrent, en toute rigueur, parler de « table de contingence », les sociologues utilisent plus facilement l'expression de « tableau croisé », plus imagée, pour désigner cet outil qui à lui seul incarne, en même temps qu'il la symbolise, toute une façon de faire de la sociologie. Pour prendre un exemple classique, si on veut analyser la liaison statistique entre origine sociale et réussite scolaire, on y figurera en lignes les valeurs possibles de la variable mesurant l'origine sociale (les différentes catégories socioprofessionnelles des pères, en général), en colonnes les valeurs possibles de celle mesurant la réussite scolaire (les différents niveaux de diplôme atteints par les enfants), et dans chacune des cellules formées par les intersections des lignes et des colonnes, les effectifs ou les proportions d'individus présentant simultanément les deux caractéristiques correspondantes. Plus la distribution des niveaux de diplôme atteints par les enfants d'une origine sociale donnée s'éloigne de la distribution moyenne, mesurée sur l'ensemble du tableau et figurée dans ses marges par une ligne ou une colonne intitulée « Total », « Ensemble » ou « Moyenne », plus la relation entre cette origine sociale et la réussite scolaire est attestée. À partir d'un tel tableau statistique, il est alors possible de déterminer l'existence, l'importance et la forme de la relation entre origine sociale et réussite scolaire, tout simplement en comparant systématiquement les écarts entre la distribution réelle des observations, et une distribution « théorique » qui serait celle obtenue s'il n'y avait aucune relation entre les deux variables.

L'apparence d'objectivité conférée à ce type de démonstrations par le recours au langage des chiffres ne doit cependant pas faire oublier les nombreuses opérations qui président à leur élaboration : un tableau croisé est toujours le résultat de la construction de catégories sociales (la profession, l'appartenance sociale, le diplôme), et des mesures empiriques opérées sur le réel dans le cadre d'enquêtes complexes non forcément exemptes de biais ; et l'analyse du tableau croisé ainsi obtenu passe à son tour par des opérations de lecture, de traduction, d'inférence et d'interprétation des chiffres, aux termes desquelles le sociologue, quand il affirme par exemple que « les enfants d'origine populaire réussissent moins bien à l'école que les autres », dit forcément « plus et autre chose […] que ce que dit le tableau statistique qu'il commente »[1] : au moment de construire puis de commenter des tableaux

---

1. Jean-Claude Passeron, « Ce que dit un tableau et ce qu'on en dit » in *Le raisonnement sociologique, op. cit.*

croisés, il convient d'explorer systématiquement toutes les conséquences possibles de ce double hiatus, entre les phénomènes observés et leur représentation statistique, et entre celle-ci et les interprétations qu'elle étaie.

32 – Type idéal

L'usage de types idéaux constitue pour Max Weber une démarche sociologique fondamentale. Le type idéal est pour lui un moyen de comprendre le sens que les individus donnent à leurs expériences vécues, ce qui conduit à mettre ces dernières en relation avec l'organisation de la société à un moment historique de son évolution. Définir un type idéal ne signifie pas repérer sa forme majoritaire d'un point de vue statistique, mais discerner à partir des formes historiques des sociétés contemporaines les traits principaux, volontairement simplifiés, qui lui donnent un sens. La démarche que Weber propose n'est pas une fin en soi. L'objectif selon lui est d'ordre méthodologique. Le type idéal est avant tout un moyen de connaissance. On ne peut pas savoir à l'avance si cette élaboration sera féconde ou pas, ce n'est qu'après avoir effectué le rapprochement de la réalité du tableau idéal élaboré que l'on pourra juger de l'efficacité démonstrative de celui-ci. La question est alors de savoir comment s'y prendre pour construire un type idéal ? Voici la réponse de Weber : « On obtient un idéaltype en accentuant unilatéralement un ou plusieurs points de vue et en enchaînant une multitude de phénomènes donnés isolément, diffus et discrets, que l'on trouve tantôt en grand nombre, tantôt en petit nombre et par endroits pas du tout, qu'on ordonne selon les précédents points de vue unilatéralement, pour former un *tableau de pensée* homogène. On ne trouvera nulle part empiriquement un pareil tableau dans sa pureté conceptuelle : *il est une utopie.* »[1] Une typologie pour Max Weber est

1. Max Weber, *Essais sur la théorie de la science*, Paris, Pocket, [1904-1917], 1992, p. 181.

constituée d'un ensemble de types idéaux. Pour analyser les déterminants de l'activité sociale, Weber a défini, par exemple, quatre types idéaux, aujourd'hui très connus et encore très utilisés dans la recherche sociologique : le type « rationnel en finalité », le type « rationnel en valeur », le type « affectuel » et enfin le type « traditionnel »[1]. Weber ne pose pas la question de la répartition statistique de ces différents types puisque son objectif n'est pas de décrire la réalité sociale. Il est principalement de comprendre et de comparer des sociétés différentes et *a fortiori* de dégager les traits constitutifs des sociétés modernes.

33 – Variable

La démarche sociologique suppose le recueil d'informations empiriques dont la nature varie en fonction des questionnements et des terrains choisis par le sociologue : il peut s'agir d'informations relatives à des individus ou des groupes, à des pratiques ou des opinions, à des interactions sociales ou des objets matériels, etc. Dans la mesure où ces informations désignent des traits de la réalité qui varient d'un cas à un autre, elles sont communément appelées « variables ».

Une variable permet d'exprimer et donc de rendre explicite les similitudes ou des différences entre individus ou situations enquêtées : par exemple, la variable « Sport pratiqué dans un cadre associatif » permet de qualifier les individus selon qu'ils pratiquent ou non un sport dans un cadre associatif et le cas échéant quel est ce sport (ou ces sports). Le travail d'explicitation des variables est indispensable dans les démarches méthodologiques nécessitant une forte standardisation des informations recueillies afin de comparer aisément et classer les individus ou les situations : c'est le cas des enquêtes par questionnaire. Dans les approches plus ethnographiques (§ 24), l'explication des

---

1. Max Weber, *Économie et Société*, Paris, Pocket, [1921], 1995, tome I, p. 55 *sq*.

variables est moins essentielle puisque ce sont les configurations ou les faisceaux d'observations empiriques qui sont recherchés : si le recueil d'informations sur le terrain est évidemment indispensable, ces informations n'ont pas nécessairement vocation à être standardisées et rangées dans des variables parfaitement définies.

Les variables utilisées par les sociologues sont pour l'essentiel des variables dites « qualitatives » qui expriment des différences de nature (être un homme ou une femme, être au chômage ou non, posséder un diplôme universitaire ou non, écouter du rap ou du rock…). Dans les quelques cas où les différences peuvent être exprimées par des nombres, les variables sont dites « quantitatives » : c'est par exemple le cas de l'âge, de la fréquence des sorties au cinéma ou encore du revenu.

Les variables résultent d'un travail de construction dans la mesure où elles reposent toujours sur une démarche d'abstraction et de conceptualisation : le sociologue doit extraire, abstraire puis coder la « réalité sociale » qu'il souhaite étudier. Ce travail de construction est parfois réalisé par la société elle-même, à travers les catégorisations juridiques ou administratives des faits (par exemple : le statut matrimonial, le diplôme obtenu, le statut professionnel…).

Chapitre III

CONCEPTS

34 – Acteur

Qu'il soit individuel ou collectif, l'acteur désigne en général le support des conduites sociales. Ce terme récurrent du vocabulaire sociologique est toutefois utilisé de façons distinctes selon les conceptions de l'action sociale. Parfois, d'autres dénominations lui sont d'ailleurs préférées.

Quand une conception structurelle ou déterministe prévaut, l'action sociale est envisagée comme la manifestation de structures ou d'interactions. Les sociologues peuvent parler d'*acteur* (Merton, Parsons, Goffman) ou de *sujet* (Foucault), au fond, c'est la notion d'*agent* (Bourdieu) qui s'impose : l'individu agit moins qu'il n'est agi ou bien par les moments et situations ou bien par des logiques extérieures qu'il a intériorisées par la socialisation ou tout effet de domination. Cette incorporation des exigences normatives ou situationnelles dote les individus de dispositions qui régissent les conduites tout en leur donnant l'illusion de se comporter de façon libre et autonome. À l'extrême, il y a une correspondance étroite entre la subjectivité des conduites et l'objectivité des positions.

Les sociologues qui retiennent plus volontiers la notion d'*acteur* s'attachent à la part d'autonomie des individus et des groupes. Selon une conception rationnelle ou utilitariste de l'action sociale, l'acteur est envisagé comme étant guidé par la recherche rationnelle de ses intérêts. Les individus choisissent librement parmi des possibles et ont de bonnes raisons d'agir (Boudon). Parfois totale, la rationalité de l'acteur est plus souvent jugée limitée : les systèmes de jeux et d'interdépendance le contraignent à se faire stratège (Crozier). Pour les constructivistes (Latour), toute entité qui modifie une situation donnée participe de fait au déroulement de l'action et est envisagée comme un acteur : humains mais aussi non-humains (microbes, ordinateurs…) ont un rôle actif dans les chaînes d'associations que constituent les réseaux (§ 74). Ces entités sont des *actants* tant qu'elles n'ont pas reçu de figuration précise. Enfin, une conception créative de l'action sociale définit l'acteur par ses capacités d'action autonome et ses capacités réflexives et interprétatives. Ni totalement contraint par les déterminations sociales, ni totalement gouverné par ses intérêts, l'individu est capable de distanciation et de critique. Il peut agir sur le monde et sur lui-même. L'aspiration de l'acteur à vouloir construire et juger sa propre vie fait de lui un *sujet* (Touraine, Dubet).

35 – Aliénation

Le concept d'aliénation, issu du vocabulaire du Droit, où il se réfère au transfert de propriété, a été initialement importé en sociologie par Karl Marx pour caractériser la condition des travailleurs en régime capitaliste, séparés du produit de leur travail et privés de la maîtrise de son organisation. Il désigne par extension l'ensemble des situations de dépossession de l'individu au profit d'entités extérieures et de perte de maîtrise des finalités de son activité. De ce fait, l'aliénation aboutit à priver l'homme de son humanité même, en l'assimilant à un rouage interchangeable et privé du contrôle de lui-même. La postérité du concept doit beaucoup à sa mobilisation dans les sphères de la politique et de la culture. Dans le domaine politique, les situations d'aliénation se manifestent à travers l'adhésion des individus à des buts contraires à leurs intérêts et résultent de l'action des « appareils idéologiques »[1]. L'aliénation idéologique

---

1. Antonio Gramsci, *Cahiers de prison*, Paris, Gallimard, 1978.

procède ainsi, au plan individuel et collectif, de l'adoption d'une « fausse conscience », qui se manifeste aussi dans l'ordre de la culture, à travers l'action des médias de masse et de l'industrie de la culture et du divertissement[1]. Dans la sociologie contemporaine, le concept d'aliénation est notamment présent en filigrane dans les théories de la domination symbolique et de la légitimité culturelle[2].

36 – Anomie

Ce mot est forgé par Jean-Marie Guyau en 1885 dans un livre sur la morale. Il désigne par là « l'absence de loi fixe » et lui donne un sens positif de liberté et d'originalité individuelles. Émile Durkheim s'approprie ce concept dans *De la division du travail social* (1893) mais en le chargeant d'un sens négatif : « nous croyons au contraire que l'anomie est la négation de toute morale ». Durkheim y voit une des « formes pathologiques » de la division du travail : « si elle ne produit pas la solidarité, c'est que les relations des organes ne sont pas réglementées, c'est qu'elles sont dans un état d'*anomie* ». Depuis cette date, anomie rime avec anarchie, absence de règle ou de régulation.

Pourtant, le concept a connu d'autres développements.

D'abord, Durkheim l'a repris en 1897 dans *Le suicide*. L'anomie y devient un des types de suicide ainsi qu'une caractéristique des dangers de l'évolution des sociétés modernes. Face à l'affirmation des individus et de leurs désirs par définition illimités, la société doit donner des bornes et des objectifs.

Disparu chez Durkheim passé 1902, comme chez les durkheimiens, le concept est relancé en 1938 par un article de Robert K. Merton[3], au prix toutefois d'une

1. Theodor W. Adorno, Max Horkheimer, *La dialectique de la raison*, Paris, Gallimard, [1944], 1974.
2. Pierre Bourdieu, Alain Darbel, Jean-Pierre Rivet, Claude Seibel, *Travail et travailleurs en Algérie*, Paris-La Haye, Mouton, 1963.
3. Robert K. Merton, « Social structure and anomie », *American sociological review*, 1938.

transformation de son sens. Pour lui, c'est la limitation des moyens pour réaliser ses désirs qui crée l'anomie. La problématique passe ainsi de l'absence de régulation dans le monde moderne individualiste aux inégalités sociales dans la société de consommation.

Le concept est à son apogée dans les années 1960. Il est alors présenté comme « un des rares concepts vraiment centraux » (Parsons), « une des notions fondamentales » (Mendras) de la sociologie. Pourtant, comme l'a montré Besnard, son usage dans la recherche empirique est quasi inexistant, le concept n'est pas heuristique. Il s'est sans doute agi, à une époque, d'une façon pour les sociologues « d'affirmer leur identité professionnelle »[1], ajoutons : et d'évoquer le changement social.

37 – Capital

Empruntée à l'appareil conceptuel de l'économie, la notion de capital désigne en première analyse l'ensemble des ressources dont disposent les individus et les groupes et qui affectent leurs trajectoires, notamment dans les domaines scolaire, professionnel, matrimonial et familial. La sociologie contemporaine se saisit le plus souvent du concept pour en souligner les différentes espèces : capital économique, capital culturel et capital social, principalement. Si le capital économique désigne assez généralement l'ensemble des ressources financières et patrimoniales, mobilières et immobilières, d'un individu, la notion de capital culturel, dont la popularisation doit beaucoup à la sociologie de Bourdieu[2], est d'essence nettement plus composite : capital culturel objectivé, d'une part, sous la forme de la possession de biens culturels (livres, œuvres d'art, etc.) ; capital culturel institutionnalisé, d'autre part,

---

1. Philippe Besnard, *L'anomie. Ses usages et ses fonctions dans la discipline sociologique depuis Durkheim*, Paris, PUF, 1987.
2. Pierre Bourdieu, « Les trois états du capital culturel », *Actes de la recherche en sciences sociales*, 1979, n° 30, p. 3-6.

principalement de nature scolaire (diplôme) ; capital culturel incorporé, enfin, beaucoup plus difficile à circonscrire et à objectiver, et qui renvoie davantage aux dispositions et aux compétences mises en œuvre dans la consommation des biens symboliques, dans les échanges langagiers, dans les manières de faire, de penser et d'agir constitutives de la variété des « styles de vie ». Le concept de capital social, dont le développement est plus récent[1], renvoie davantage aux ressources que l'individu mobilise à travers les réseaux de relations dans lesquels il évolue : famille, amis, collègues de travail, voisinage[2]. Particulièrement mobilisée dans l'analyse de la production et de la reproduction des inégalités de destin, notamment dans la sociologie de l'éducation ou de la mobilité sociale, la distinction de ces différentes espèces de capitaux, dont les formes d'accumulation et de transmission comptent parmi les objets de prédilection de la sociologie contemporaine, rompt avec les conceptions unidimensionnelles de la stratification sociale ou des rapports de classe.

38 – Carrière

La notion de carrière renvoie dans le langage courant à l'idée de carrière professionnelle (au sens des successions de postes occupés) et souvent à l'idée d'ascension sociale (« faire carrière »). Les sociologues proches de l'interactionnisme (courant américain notamment représenté par E. Goffman, H. S. Becker, A. Strauss, E. Hughes) en ont étendu le sens : tout le monde (les élèves, les chômeurs, les

---

1. James Coleman, « Social Capital in the Creation of Human Capital », *American Journal of Sociology*, 1988, 94 Supplement, p. 95-120 ; Robert Putnam, *Bowling Alone; The Collapse and Revival of American Community*, New York, Simon and Shuchter, 2000.
2. Mark S. Granovetter, « The Strength of Weak Ties », *American Journal of Sociology*, 1973, 78 (6), p. 1360-1380 ; Nan Lin, « Social Resources and Instrumental Action » *in* Peter V. Marsden, Nan Lin, (eds.), *Social Structure and Network Analysis,* Beverly Hills, Sage, 1982, p. 131-145.

malades, les déviants…) a une carrière. Dans *Outsiders*[1], Howard S. Becker analyse les trois étapes de la carrière déviante : la transgression d'une norme ne suffit pas à entrer dans la carrière, encore faut-il attendre le moment de la désignation publique pour savoir si l'individu est prêt à s'engager davantage, puis l'adhésion à un groupe déviant organisé qui permet de justifier son engagement dans la carrière déviante. La notion est également considérée à la fois dans sa dimension objective, comme la situation officielle de l'individu, et dans sa dimension subjective ce qui permet de décrire les changements subjectifs d'un individu (significations intimes, image de soi). L'analyse de la carrière comme processus diachronique se centre sur la manière dont les acteurs anticipent les changements, les préparent, font face aux difficultés, interprètent leurs échecs ou réussites. Everett Hughes écrit : « Subjectivement, une carrière est une perspective en évolution au cours de laquelle une personne *voit* sa vie comme un ensemble et *interprète* ses attributs, ses actions et les choses qui lui arrivent. »[2]

Erving Goffman propose enfin de prendre en considération la dimension morale de la carrière « c'est-à-dire au cycle des modifications qui interviennent dans la personnalité du fait de cette carrière et aux modifications du système de représentation par lesquelles l'individu prend conscience de lui-même et appréhende les autres. »[3] La carrière marque une évolution significative qui a des effets concrets sur la personnalité mais aussi sur la manière de percevoir, d'appréhender le monde.

---

1. Howard S. Becker, *Outsiders. Études de sociologie de la déviance,* Paris, Métailié, [1963], 1985.
2. Everett Hughes, *Men and Their Work,* Westpont, Greenwood Press Reprint, [1958], 1981, p. 63. Voir aussi Everett Hughes, « Carrières, cycles et tournants de l'existence » et « carrière » in *Le regard sociologique*, Paris, EHESS, 1996.
3. Erving Goffman, *Asiles. Études sur la condition sociale des malades mentaux*, Paris, Minuit, [1961], 1968, p. 179.

39 – Champ

La notion de champ est centrale dans la théorie de Pierre Bourdieu. Le champ est un microcosme social relativement autonome à l'intérieur du macrocosme social. Chaque champ (politique, religieux, médical, journalistique, universitaire, juridique, footballistique…) est régi par des règles qui lui sont propres et se caractérise par la poursuite d'une fin spécifique. Ainsi, la loi qui régit le champ artistique (l'art pour l'art) est inverse à celle du champ économique (les affaires sont les affaires). Les enjeux propres à un champ sont illusoires ou insignifiants pour les personnes étrangères au champ : les querelles poétiques ou la lutte d'un journaliste pour l'accès à la Une semblent futiles à un banquier, et les préoccupations d'un banquier sont mesquines pour un artiste ou pour un militant écologique. La logique d'un champ s'institue à l'état incorporé chez les individus engagés dans le champ sous la forme d'un sens du jeu et d'un habitus (§ 54) spécifique[1].

Les champs reposent sur une coupure entre les professionnels (de la politique, de la religion, etc.) et les profanes. La délimitation des frontières d'un champ est elle-même objet de lutte. Ainsi au sein du champ artistique, l'enjeu des luttes est de savoir qui est en droit de se dire artiste et de dire qui est artiste. Un champ, configuration de positions qui se situent les unes par rapport aux autres, est toujours un espace de conflits et de concurrence pour le contrôle dudit champ. À l'intérieur de chaque champ, on trouve des dominants et des dominés, des anciens et des nouveaux venus. Ceux qui détiennent le plus de capital (§ 37) spécifique au champ sont portés à adopter des positions conservatrices ; les stratégies de subversion émaneront de groupes concurrents, moins dotés en capital orthodoxe.

On assiste dans les sociétés contemporaines à un processus d'autonomisation des champs qui invoquent leurs propres principes et leurs propres normes contre l'intrusion de

---

1. Pierre Bourdieu, Loïc Wacquant, *op. cit.*

pouvoirs extérieurs. Ce processus d'autonomisation n'est jamais totalement achevé, ni irréversible. Néanmoins, la multiplication des champs constitue une particularité des sociétés contemporaines[1] et représente une protection contre la concentration des pouvoirs (ce n'est pas au pouvoir politique de définir le beau ni au pouvoir économique de définir ce qu'est la science). La théorie des champs débouche ainsi chez Bourdieu sur la défense de l'autonomie de la culture et de la science, conditions jugées indispensables au processus de création ou de découverte[2].

40 – Communauté et société

C'est à Ferdinand Tönnies que nous devons l'opposition entre « communauté et société ». Dans son ouvrage de 1887[3], il opposait en effet deux types de société, deux types de rapports sociaux qu'il désignait respectivement comme communauté *(Gemeinschaft)* et société *(Gesellschaft)*. Alors que la communauté est caractérisée par la proximité affective et spatiale des individus et se définit donc comme une « communauté de sang, de lieu et d'esprit » où le tout prime sur l'individu, la société en revanche est le théâtre de l'individualisme forcené, de la concurrence généralisée entre les individus désormais séparés, le règne de l'intérêt personnel qui se trouve être dorénavant au fondement de tous les rapports sociaux, lesquels tendent à se réduire à des échanges contractualisés. Avec cette opposition, qui a été comprise comme celle de deux types idéaux (§ 32), Tönnies livrait ainsi une conception pessimiste de l'histoire où la société marchande et

1. Anselm L. Strauss, « Une perspective en termes de monde social », *La trame de la négociation*, Paris, L'Harmattan, 1991, p. 269-282.
2. Pierre Bourdieu, *Les règles de l'art*, Paris, Seuil, 1992 ; Pierre Bourdieu, *Science de la science et réflexivité*, Paris, Raisons d'Agir, 2001.
3. Ferdinand Tönnies, *Gemeinschaft und Gesellschaft* (1887) ; *Communauté et société*, tr. fr. par Niall Bond et Sylvie Mesure, Paris, PUF, 2010.

industrielle s'élevait victorieusement sur les ruines de l'ancienne communauté. Mais une telle dichotomie n'est pas à concevoir de façon trop tranchée : il reste, selon Tönnies, oscillant ainsi entre espoir et nostalgie, des éléments de la communauté au sein même de la société qui, s'ils sont vivifiés, seraient capables, au moins partiellement, de la régénérer.

41 – Configuration

Le terme configuration a plusieurs acceptions en sociologie. Mintzberg l'emploie notamment pour décrire différents types d'organisations. Le terme renvoie cependant, d'abord, à la théorie élaborée par le sociologue allemand Norbert Elias[1]. Ce concept signifie que la société est un réseau d'interdépendances entre individus. La société n'est donc pas une substance pas plus que l'individu ne saurait être isolé des chaînes d'interdépendances dans lesquelles il s'inscrit. Pour saisir la société, le raisonnement doit être relationnel, comme l'objet qu'il vise à appréhender.

Parler de configuration permet de mettre en lumière que la dépendance réciproque entre les individus est « la matrice constitutive de la société »[2]. Les actions individuelles dépendent les unes des autres comme dans un jeu d'échecs par exemple où le déplacement d'un pion va modifier les actions possibles pour tous les pions. Ce concept renvoie donc à une conception fondamentalement relationnelle de la société. D'où l'erreur que fait selon Elias le sens commun (mais aussi la philosophie classique et une partie de la sociologie) lorsqu'il considère l'individu comme une réalité séparée alors même que celui-ci est le produit

1. Ce texte s'appuie largement sur la synthèse de ce concept opérée par Jean-Hugues Déchaux, « Sur le concept de configuration : quelques failles dans la sociologie de Elias Norbert », *Cahiers internationaux de Sociologie*, 1995, vol. 99, p. 293-313.
2. Roger Chartier, « Conscience sociale et lien social, avant-propos à *La société des individus* » in Nobert Elias, *La société des* individus, Paris, Fayard, 1991, p. 7-29.

d'un processus de civilisation des mœurs et d'un développement déterminé des chaînes d'interdépendance. Les sociologues font une erreur symétrique lorsqu'ils accordent un privilège à la société en la concevant comme ayant une réalité propre. Pour Elias, la configuration individu-société et ses évolutions est ce que le sociologue doit décrire et analyser car ces relations sont aussi réelles que les parties qu'elles relient.

Dans cette perspective, le tissu de relations dont est faite la société s'apparente à un jeu, c'est-à-dire à une compétition porteuse d'une évolution. Le jeu est une « donnée élémentaire »[1]. La métaphore du jeu indique que la vie sociale est concurrentielle et que les différents partenaires sont dans des relations d'interdépendance qui se stabilisent parfois dans un « équilibre des forces ». L'évolution des sociétés est expliquée par les modifications de cet équilibre par les actions individuelles et les effets qu'elles engendrent comme des réactions en chaîne. Ces réactions en chaîne modifient à leur tour le jeu et les joueurs.

En s'appuyant sur la métaphore du jeu, Norbert Elias définit dans le terme de configuration : « la figure globale toujours changeante que forment les joueurs ; elle inclut non seulement leur intellect, mais toute leur personne, les actions et les relations réciproques. […] Cette configuration forme un ensemble de tensions »[2]. Et Jean-Hugues Déchaux d'opérer une synthèse de ce concept de configuration en affirmant qu'elle se caractérise « 1/ par l'équilibre mobile des forces, et 2/ par les effets et contraintes de la compétition sociale qui […] concernent tant les actions que les pensées des joueurs »[3].

Largement supplantée par le concept de champ (§ 39) élaboré par Bourdieu pour décrire un système de relations dans lequel la domination est première et s'impose aux

1. Norbert Elias, *Qu'est-ce que la sociologie ?*, Paris, Pocket, [1970], 1981, p. 84.
2. *Ibid.* p. 157.
3. Jean-Hugues Déchaux, *ibid.*, p. 300.

dominés sans qu'ils s'en aperçoivent, la façon dont Elias pense le jeu concurrentiel connaît un renouveau d'intérêt en France depuis les années 1990. Son approche est notamment mobilisée par des sociologues comme Bernard Lahire[1], plus soucieux de ne pas écraser la réflexivité des acteurs tout en maintenant la contrainte du monde social.

42 – Conflit

Le conflit est un antagonisme entre individus ou groupes dans la société (ou entre sociétés). Il survient « quand une décision ne peut être prise par les procédures habituelles. »[2] Communément admise, cette définition provient de la sociologie des organisations qui montre que les conflits dépendent des modèles organisationnels et des relations de pouvoir.

Le conflit est manifeste et ouvert dans le cas d'une révolution, d'une guerre ou encore d'une grève ; il existe aussi à l'état latent[3]. Les théories du conflit considèrent ainsi que dissensions et rapports conflictuels sont constitutifs de l'ordre social. Toute société est faite d'intérêts antagonistes, de divisions et de tensions qui ne se soldent pas nécessairement par des luttes déclarées. Souvent lus sous l'angle de l'antagonisme de classes (Marx, Engels)[4], les conflits ne s'y réduisent pas et se jouent sur plusieurs fronts compte tenu du caractère multidimensionnel du monde et de la pluralité des groupes, intérêts et perspectives (Weber)[5].

Les approches qui privilégient le consensus et l'intégration pour caractériser les sociétés (Durkheim, Parsons) ne voient dans les conflits que menace pour l'ordre social

1. Bernard Lahire, *La condition littéraire. La double vie des écrivains*, Paris, La Découverte, coll. « Textes à l'appui », 2006.
2. James March, Herbert Simon, *Organizations*, New York, Wiley, 1958.
3. Ralf Darhendorf, *Classes et conflits de classes dans la société industrielle*, La Haye, Mouton, [1957], 1972.
4. Karl Marx., Friedrich Engels, *Manifeste du Parti communiste*, Paris, Flammarion, [1848], 1998.
5. Max Weber, *Économie et société, op. cit.*

et dysfonctionnement à réguler. D'autres sociologues pensent, à l'inverse, que le conflit n'est pas nécessairement destructeur ; il est un élément de régulation et un facteur d'intégration. Ainsi, Simmel souligne que si ses causes divisent et opposent les individus, le conflit est une forme d'interaction qui, rétablissant « l'unité de ce qui a été rompu »[1], fait lien et socialise. L'analyse peut porter alors sur les fonctions sociales du conflit (Coser)[2]. Enfin, le conflit est analysé comme contribuant au changement social, à la production de la société (Touraine)[3] ou encore comme « moteur de l'histoire ». Les sociologues du conflit portent de fait une attention soutenue à des matériaux historiques et aux modèles de changement.

43 – Contrôle social

La notion de « contrôle social » ne doit pas être confondue avec celle de « société de contrôle », catégorie politique négative. Le contrôle social recouvre plus largement l'ensemble des moyens (matériels et symboliques) mis en œuvre par une société pour s'assurer de la conformité de ses membres aux normes en place. Ce contrôle peut s'exercer par le biais d'institutions contraignantes, productrices de lois et règlements (institutions scolaires, policières, judiciaires, religieuses, médicales, travail social), mais aussi par des formes de contraintes intériorisées au cours de la socialisation familiale, scolaire, urbaine et professionnelle. Pour tenir durablement, les normes sociales ne peuvent être seulement imposées du dehors, elles doivent entraîner l'adhésion des individus qui se font une obligation d'obéir aux règles[4]. L'« auto-contrôle » grandissant

1. Georg Simmel, *Le conflit*, Paris, Circé, [1908], 1995.
2. Lewis A. Coser, *Les fonctions du conflit social*, Paris, PUF, [1956], 1982.
3. Alain Touraine, *Production de la société*, Paris, Seuil, 1973.
4. Émile Durkheim, *L'éducation morale*, Paris, PUF, 1925.

des pulsions caractérise le processus de « civilisation des mœurs » selon Elias[1].

Cette première distinction (contrôle imposé/intériorisé) s'assortit d'une seconde (qui ne la recouvre pas complètement) entre contrôle social formel et informel : le contrôle social exercé par les institutions peut faire l'objet de procédures formalisées, mais aussi d'interactions plus individualisées. Une autre ligne de partage peut être tracée entre coercition et incitation. Le contrôle social peut en effet prendre la forme de la sanction (redressement des corps, du langage, punitions, stigmatisation, excommunication, sanctions pénales, violence), mais il ne faut pas oublier son versant prescriptif : l'éloge, la rétribution, la propagande ou la canalisation des flux permettent de promouvoir des « bonnes » pratiques et des modèles à imiter.

Comme l'a montré la sociologie interactionniste, le contrôle social s'exerce dans tous types de groupes, qu'ils soient déviants (Becker) ou conformes aux normes dominantes. C'est moins la dimension légale ou illégale, officielle ou secrète du groupe social qui importe que le type de solidarité qui s'exerce en son sein : quand l'individu est intégré dans un groupe dont le fonctionnement est communautaire (village, bande par exemple), le contrôle social tend à porter sur la totalité de l'individu (son corps, sa vie privée, sa vie professionnelle et publique). Quand le groupe social est plus anonyme, avec des liens plus distendus, le contrôle social est plus impersonnel, plus discontinu. Le contrôle social n'est, quoi qu'il en soit, jamais total, y compris dans les lieux les plus disciplinaires : accommodements, adaptations, transgressions instaurent des marges de manœuvre (Becker, Goffman).

La sociologie de Marx et de Bourdieu met cependant l'accent sur l'inégalité du contrôle social qui institue une frontière entre dominants et dominés, bénéficiaires du contrôle social et victimes de l'ordre social. Tous les

---

1. Norbert Elias, *La civilisation des mœurs,* Paris, Calmann-Lévy, 1969.

groupes sociaux ne sont, de fait, pas soumis avec la même intensité aux mêmes dispositifs de contrôle.

44 – Croyances

Les croyances occupent une place très importante en sociologie et en anthropologie : pour commencer elles en sont un objet classique, au cœur des grandes œuvres fondatrices de la discipline, qu'il s'agisse de *L'éthique protestante et l'esprit du capitalisme* de Max Weber (1905) ou des *Formes élémentaires de la vie religieuse* (1912) d'Émile Durkheim : dans la mesure où la question des croyances et de la religion est la grande question de la tradition philosophique occidentale, la sociologie naissante en hérite inévitablement. Cela dit, à travers ces œuvres fondatrices et l'analyse empirique des phénomènes de croyances qu'elles ont proposées, les problématiques connaissent un profond renouvellement, et les questions posées aux croyances se font proprement sociologiques : comment des individus et des sociétés peuvent-ils croire, c'est-à-dire adhérer, à des propositions manifestement fausses ou absurdes ? Comment les croyances naissent-elles, se transforment-elles, disparaissent-elles ? À quoi servent les croyances et les religions, quels rôles sociaux jouent-elles ? Dans quelle mesure les croyances peuvent-elles être considérées comme les moteurs de l'action des individus en société, et donc, comme les fondements même du social ?

Ces questions, depuis Durkheim et Weber jusqu'à aujourd'hui, ont engendré un nombre considérable de travaux à la fois empiriques et théoriques, desquels il faut retenir une première leçon : en sociologie, l'intérêt porté aux croyances ne s'est pas limité aux seuls phénomènes religieux, mais s'est au contraire rapidement étendu à l'étude de formes de croyances extrêmement diversifiées, dont certaines sont à l'origine de grands classiques des sciences sociales : on peut citer ici, parmi de nombreuses autres, l'étude de Festinger consacrée à une secte qui croyait à l'arrivée des extraterrestres, et qui a donné lieu à l'élaboration de la notion de « dissonance cognitive »[1], ou bien celle consacrée par Edgar Morin à *La rumeur d'Orléans*[2].

Les croyances sont, par conséquent, pour la sociologie et l'anthropologie un peu plus que des objets d'études (§ 10) : elles sont en réalité aussi, pour elles, « une façon d'éprouver leur statut de science »[3] dans la mesure où elles entreprennent de proposer ainsi des explications scientifiques de phénomènes immatériels, dont les manifestations extérieures peuvent être difficiles à appréhender, et habituellement considérés comme irrationnels. On ne peut pas s'étonner alors que la sociologie y ait vu un enjeu épistémologique majeur, qui explique l'engouement toujours fort pour l'étude des croyances ; on ne peut pas s'étonner non plus, en fin de compte, du fait que, ce faisant, les différentes conceptions des croyances qui s'élaborent dans ces études à base empirique, engagent chaque fois, en réalité, une conception beaucoup plus générale, qu'on pourrait qualifier de « paradigmatique », du monde social. Ainsi, l'analyse des religions proposée par Durkheim porte clairement l'empreinte de son « fonctionnalisme » dans la mesure où les croyances, et au premier rang les croyances religieuses, y sont décrites de puissants ciments de la cohésion sociale ; chez Max Weber, l'accent est plutôt mis sur l'articulation entre les croyances, les rationalités qui les sous-tendent, et les logiques d'action qu'elles engendrent. Et si on peut discuter longuement de ce qui rapproche ou au contraire distingue ces deux grands sociologues, force est tout de même de constater que, chaque fois, l'analyse des croyances se situe bien au cœur de la conception même du social.

1. Leon Festinger, Hank Riecken et Stanley Schachter, *L'échec d'une prophétie. Psychologie sociale d'un groupe de fidèles qui prédisaient la fin du monde*, Paris, PUF, coll. « Psychologie sociale », [1956], 1993, tr. fr. Sophie Mayoux et Paul Rozenberg.
2. Paris, Seuil, 1969.
3. Pascal Sanchez, *Les croyances collectives*, Paris, PUF, coll. « Que sais-je ? », 2009.

45 – Culture

Il n'est sans doute pas de notion aussi vaste et aussi polysémique en sciences sociales que la notion de culture, qui renvoie alternativement à l'ensemble des symboles, des significations, des valeurs et des manières de faire propres à un groupe et au domaine spécialisé des activités expressives, savantes et populaires. La notion de culture est ainsi tout autant mobilisée dans l'exploration des grandes thématiques de la sociologie (stratification, inégalités, institutions, mouvements sociaux) que dans celle des domaines spécialisés de la production culturelle[1] telle que les arts, les médias de masse, la science, l'industrie des loisirs et du divertissement, la religion. Les confusions qui entourent la notion de culture dans les sciences sociales se manifestent par ailleurs dans l'indétermination du statut épistémologique de la culture, mobilisée alternativement comme variable explicative et comme variable expliquée de l'analyse sociologique. Cette incertitude est particulièrement présente chez les pères fondateurs de la discipline. Si Marx subordonne clairement la superstructure idéologique et culturelle de la société à son infrastructure matérielle et économique (théorie du reflet), Weber, notamment dans *L'éthique protestante et l'esprit du capitalisme*, envisage au contraire l'orientation des croyances et des valeurs comme un moteur du changement social, tandis que les représentations, les normes et les croyances manifestent au plus haut point chez Durkheim la réalité coercitive des faits sociaux, irréductibles à leurs manifestations individuelles. L'approche sociologique de la culture, qui souligne notamment les notions de hiérarchie et de légitimité, diffère du reste de son approche anthropologique, qui insiste davantage sur le pluralisme et la relativité des valeurs et des contenus. Mais la sociologie contemporaine de la

---

1. Diane Crane, *The Production of Culture : Media and the Urban Arts,* Newbury Park, CA, Sage Publications, 1992 ; Richard A. Peterson R. & N. Anand, « The Production of Culture Perspective », *Annual Review of Sociology,* 2004 (30), p. 311-334.

culture est elle-même traversée de controverses. Si certains auteurs envisagent avant tout le domaine de la culture comme un espace d'aliénation[1] (§ 35), ou de domination, à travers les notions de « violence symbolique » et de « légitimité culturelle » (chez Pierre Bourdieu[2], notamment), d'autres, dans le sillage des travaux de Richard Hoggart[3] et Raymond Williams (courant des *cultural studies*)[4], explorent au contraire les formes de résistance à la domination qui s'exercent dans le champ de la culture.

46 – Cycle de vie

En tant que concept sociologique, le cycle de vie désigne la façon dont une société définit et structure la succession des âges. Il repose sur l'hypothèse que les individus traversent, de l'enfance au grand âge, des séquences ordonnées d'étapes, qu'elles soient familiales, professionnelles ou sociales. La théorie du cycle de vie s'est longtemps appuyée sur une partition ternaire des existences, articulée autour de l'activité salariée : jeunesse, âge adulte, vieillesse. Cette structuration était prioritairement liée à des modes d'organisation sociale fondés sur la linéarité de la vie professionnelle. Les recherches sociologiques plus récentes se sont émancipées de ce cadre d'analyse, initiant un changement de paradigme pour penser le déroulement de vies plus longues, et aux statuts plus réversibles. D'une part, la conception tripartite des existences a été remise en cause par l'émergence de nouvelles temporalités, au sein de la « jeunesse » ou du « quatrième âge » par exemple. D'autre part, le postulat

1. Theodor W. Adorno et Max Horkheimer, *La dialectique de la raison*, [1944], tr. fr. Éliane Kaufholz, *op. cit.*
2. Pierre Bourdieu, *La distinction, critique sociale du jugement*, Paris, Minuit, 1979.
3. Richard Hoggart, *The Uses of Literacy: Aspects of Working-Class Life with Special References to Publications and Entertainments*, [1957], tr. fr., *La culture du pauvre*, Paris, Minuit, 1970.
4. Raymond Williams, *Culture and Society*, Londres, Chatto and Windus, 1958.

de linéarité des parcours s'est vu mis à mal par une plus grande réversibilité des statuts familiaux et professionnels (mariage-divorce, emploi-chômage), ainsi que par le décloisonnement et l'extension de certains temps sociaux – études tout au long de la vie, reconversions professionnelles, recompositions familiales tardives etc. Ces mouvements de « flexibilisation » des vies contemporaines vont de pair avec l'affaiblissement du pouvoir de scansion des « seuils » auparavant censés marquer le passage irréversible d'un âge à l'autre. De nouveaux outils conceptuels ont ainsi été élaborés, tels que « parcours », « trajectoires », « biographies », « cours de vie » qui, au-delà des approches théoriques et empiriques dont ils sont respectivement porteurs, tentent de rendre compte de la structuration de vies certes individualisées mais, pour autant, toujours socialement instituées.

47 – Désaffiliation

Adoptant une posture critique à l'égard de la notion d'exclusion, qui connaît au début des années 1990 une popularité considérable, Robert Castel propose dans plusieurs de ses textes une notion alternative, la désaffiliation, permettant d'éviter un certain nombre d'écueils. Pour Castel, la notion d'exclusion est un piège[1], du fait non seulement qu'elle fonctionne comme un mot-valise qui permet à la fois des usages divers (politiques, médiatiques et académiques), mais aussi de nommer une diversité de situations en gommant leurs spécificités. Pour Castel, il importe de dépasser le constat des « états de dépossession » pour analyser les mécanismes qui génèrent ce phénomène. Castel fait d'abord usage de la notion de désaffiliation dans un article publié en 1990 et intitulé « Le roman de la désaffiliation. À propos de Tristan et Iseut » et définit cette notion ainsi : « le décrochage par rapport aux régulations à travers

---

1. Robert Castel, « Les pièges de l'exclusion », *Lien social et Politiques – RIAC*, 1995, n° 34, p. 13-21.

lesquelles la vie sociale se reproduit et se reconduit »[1]. Il en précise les termes dans un article publié en 1991[2] dans lequel il propose de distinguer deux axes permettant de penser les situations de dénuement : un axe d'intégration – non-intégration par le travail et un axe d'insertion – non-insertion dans une sociabilité socio-familiale. En somme, pour définir la désaffiliation, il est tentant de recourir à deux figures : déficit de filiation et déficit d'affiliation. La première figure renvoie au déficit d'inscription dans des liens sociaux primaires (notamment familiaux) et donc de protection rapprochée (par des proches). La deuxième, la désaffiliation, renvoie au déficit d'inscription dans des formes collectives de protection et, en particulier, la protection issue des collectifs de travail.

48 – Déterminisme

Qu'il soit conçu comme biologique, psychique, social, historique, le déterminisme renvoie à la thèse, plus métaphysique que scientifique, selon laquelle une sorte d'inconscient (biologique, psychique etc.) déterminerait de part en part le comportement des individus. Il s'oppose ainsi frontalement à son antithèse, tout aussi métaphysique, selon laquelle, les hommes, malgré les contraintes auxquelles ils se trouvent sans cesse confrontés, seraient entièrement libres de leurs choix. Mais une telle appréhension unilatérale du monde – déterminisme ou liberté – ne rend pas justice à la complexité du réel que les sciences sociales ont pour vocation d'étudier : ni entièrement soumis aux circonstances, ni entièrement libres d'elles, l'individu possède une possible capacité de manœuvre qui conduit à le penser comme un acteur doué d'une certaine

---

1. Robert Castel, *La montée des incertitudes. Travail, protections, statut de l'individu*, Paris, Seuil, 2009.
2. Robert Castel, « De l'indigence à l'exclusion, la désaffiliation » *in* Jacques Donzelot (dir.), *Face à l'exclusion, le modèle français.* Paris, Éditions Esprit, 1991, p. 137-168.

autonomie. C'est ainsi que, rompant avec le déterminisme social et culturel longtemps affirmé par certains courants dominants des sciences humaines, les théories contemporaines de l'action (l'individualisme méthodologique, l'interactionisme symbolique, l'analyse stratégique) mettent l'accent sur la capacité de choix, de décision, d'action possédée par les individus. Au-delà du déterminisme et de la liberté, c'est le champ des possibilités qu'il s'agit d'appréhender.

49 – Déviance

Consacrée par Merton et Parsons, la notion de déviance apparaît d'abord dans la sociologie américaine des années 1950. Elle élargit alors le domaine classique des recherches sur la délinquance développé dans l'entre deux-guerres par les sociologues de « l'École de Chicago » et dominé par la théorie de la désorganisation sociale. Ensuite, dans les années 1960, elle est transformée et théorisée de façon décisive par des auteurs comme Lemert, Matza, Becker, Goffman et, plus largement, ce que l'on appellera la « seconde École de Chicago ».

La déviance se définit comme l'envers de la norme qu'elle transgresse. Pour exister comme question sociale, la déviance suppose la réunion de trois éléments : une norme, une transgression de cette norme et une « réaction sociale » à la transgression de cette norme. Chacun de ces trois éléments constitue un domaine de recherche sociologique.

La constante évolution historique des normes détermine du même coup les contours de la déviance. Certains comportements jadis criminalisés ou stigmatisés ne le sont plus (l'homosexualité). D'autres le deviennent (l'évolution des normes en matière de santé et de sécurité). Ces évolutions sont l'objet de conflits entre groupes sociaux, groupes politiques, intérêts commerciaux.

Ce constat de la primauté et de l'instabilité des normes renouvelle ensuite le débat théorique sur la transgression, longtemps parasité par les modèles de type biologiques naturalisant l'opposition entre le normal et le pathologique. L'attention se porte alors sur les déterminants psychosociaux de l'adhésion aux normes, sur les processus de socialisation et de conformisme social.

Enfin, la transgression d'une norme n'a pas d'existence sociale si nul ne la remarque et ne la stigmatise. C'est le champ de la sociologie de la réaction sociale. Comment et pourquoi les déviances sont-elles repérées, qualifiées, dénoncées, poursuivies ? Quels sont les acteurs de ces réactions sociales ? Comment évoluent-elles ?

50 – Disqualification sociale

Le concept de disqualification sociale renvoie au processus d'affaiblissement ou de rupture des liens de l'individu à la société au sens de la perte de la protection et de la reconnaissance sociale. L'homme socialement disqualifié est à la fois vulnérable face à l'avenir et accablé par le poids du regard négatif qu'autrui porte sur lui. Si ce concept est relativement récent en sociologie, on peut y voir son origine dans les travaux de Georg Simmel au début du XXe siècle sur le statut des pauvres[1]. L'objet d'étude qu'il propose n'est pas la pauvreté ni les pauvres en tant que tels, mais la relation d'assistance entre eux et la société dans laquelle ils vivent. Des recherches plus récentes ont permis de vérifier que la disqualification sociale correspond à l'une des formes possibles de cette relation entre une population désignée comme pauvre en fonction de sa dépendance à l'égard des services sociaux et le reste de la société[2]. Cinq éléments principaux permettent de définir cette relation : 1/ le fait même d'être assisté

1. Georg Simmel, *Les Pauvres*, Paris, PUF, coll. « Quadrige », [1908], 1998.
2. Voir Serge Paugam, *La disqualification sociale. Essai sur la nouvelle pauvreté*, Paris, PUF, coll. « Quadrige », [1991], 2000 ; *Les formes élémentaires de la pauvreté*, Paris, PUF, coll. « Le lien social », 2005.

assigne les « pauvres » à une carrière (§ 38) spécifique, altère leur identité (§ 56) préalable et devient un stigmate (§ 80) marquant l'ensemble de leurs rapports avec autrui ; 2/ si les pauvres, par le fait d'être assistés, ne peuvent avoir qu'un statut social dévalorisé qui les disqualifie, ils restent malgré tout pleinement membres de la société dont ils constituent pour ainsi dire la dernière strate ; 3/ si les pauvres sont stigmatisés, ils conservent des moyens de résistance au discrédit qui les accable ; 4/ ce processus (§ 68) de disqualification sociale comporte plusieurs phases (fragilité, dépendance puis rupture des liens sociaux (§ 62) ; 5/ les trois conditions socio-historiques de l'amplification de ce processus sont : un niveau élevé de développement économique associé à une forte dégradation du marché de l'emploi ; une plus grande fragilité de la sociabilité familiale et des réseaux d'aide privée ; une politique sociale de lutte contre la pauvreté qui se fonde de plus en plus sur des mesures catégorielles proches de l'assistance.

51 – Division du travail

Chaque individu ne peut subvenir entièrement à ses besoins, le travail (productif, domestique, artisanal, services, de reproduction…) est donc assumé par différents acteurs. Émile Durkheim s'est intéressé à la question du lien entre la division du travail et la cohésion sociale dans son ouvrage *De la division du travail social*[1] ; il montre deux types de solidarité selon l'évolution des sociétés : la *solidarité mécanique* correspond à une division du travail faible, lorsque les activités sociales sont peu diversifiées et que la cohésion résulte de la similitude sociale ; la *solidarité organique* correspond, dans les sociétés modernes, à une forme de cohésion entre des individus pourtant autonomes mais différents du fait d'une forte spécialisation des tâches.

1. Paris, PUF, [1893], 1991

D'autres sociologues se sont intéressés depuis à la division du travail. Le sociologue américain Everett Hughes souligne la division *morale* du travail : « La division du travail dans la société n'est pas purement technique, comme on le suggère souvent. Elle est aussi psychologique et morale. »[1] Certains professionnels retirent beaucoup de prestige de leur travail, d'autres aucun. Le travail médical peut être pris comme exemple : le travail pour soigner un patient est collectif mais « les participants s'accordent à attribuer au médecin le don particulier et les prérogatives tandis que ceux qui accomplissent les tâches humbles, pourtant nécessaires, sans être reconnus comme les auteurs de ces miracles, n'ont droit qu'à un médiocre prestige. »[2] Chacun tente enfin de reporter sur les autres le « sale boulot » en déléguant les tâches les plus sales ou dégradantes sur les individus exerçant des professions subalternes. Hughes cite notamment le concierge, un homme qui « gagne sa vie en effectuant le "sale boulot" des autres »[3].

Les sociologues posent également la question de la division *sexuelle* du travail, c'est-à-dire la répartition inégale des tâches selon les sexes (§ 93), qu'elle soit au niveau professionnel (sur le marché du travail, dans les métiers et les professions, plutôt masculins ou féminins, dans les hiérarchies des positions) ou au niveau du travail domestique.

52 – Domination

Max Weber[4] différencie la domination de la simple capacité à faire triompher sa volonté. La domination suppose la chance de trouver un groupe de personnes prêtes à obéir à un ordre déterminé : elle repose donc rarement sur le seul

1. Everett Hughes, *Le regard sociologique, op. cit,* p. 89.
2. *Ibid*. p. 64
3. *Ibid*. p. 81
4. Max Weber, *Économie et société*, 1. Les catégories de la sociologie, *op. cit.*

rapport de force, mais doit aussi susciter l'assentiment du dominé. Toutes les dominations cherchent à éveiller et à entretenir la croyance en leur légitimité. Max Weber distingue ainsi trois types de domination en fonction des types de légitimité sur lesquelles elles s'appuient : la domination traditionnelle s'exerce en vertu de la croyance en la légitimité de la tradition ; la domination charismatique repose sur la soumission au caractère exceptionnel, sacré, à la vertu héroïque ou à la valeur exemplaire de la personne qui exerce le pouvoir ; la domination rationnelle-légale ou légale-rationnelle prend appui sur la croyance en la légalité des règlements adoptés.

Pierre Bourdieu[1] prolonge l'analyse des mécanismes qui rendent possible cette adhésion des dominés. La coercition et la répression physique cèdent de plus en plus la place aux contraintes douces et dissimulées de la violence symbolique : les acteurs subissent la domination qui s'exerce à leur insu, et ils contribuent ainsi à son exercice. Un rapport de domination (de classe, de genre, de race, etc.) ne peut se perpétuer que s'il parvient à obtenir cette reconnaissance, qui est aussi méconnaissance de l'arbitraire des rapports de force sur lequel il est fondé. Les structures de domination sont ainsi à la fois sociales et mentales : dominants et dominés ont les mêmes catégories de perception, les mêmes principes de divisions du monde social, les mêmes structures d'opposition (haut/bas, masculin/féminin, distingué/vulgaire, etc.).

Les structures de domination ne sont pas anhistoriques. Elles résultent de luttes entre les dominants au sein du champ du pouvoir, luttes qui peuvent d'ailleurs engager des alliances avec des dominés. Elles sont aussi le produit d'un travail incessant de reproduction, auquel concourent des institutions (Églises, école, État, famille), pour faire apparaître comme « naturelles » les relations

1. Pierre Bourdieu, *La distinction*, op. cit., 1979 ; *Méditations pascaliennes*, Seuil, coll. « Liber », 1997 ; *La domination masculine*, Seuil, coll. « Liber », 1998.

de dominations. C'est la différence entre le pouvoir et la domination : le pouvoir se voit, la domination doit être dévoilée[1]. Le travail sociologique de dévoilement (§ 4), de « dénaturalisation » des relations sociales contribue ainsi à la possibilité d'une émancipation par rapport à ces structures de domination.

53 – Genre

Issu de l'anglais « *gender* » et des théories féministes, le genre est un concept qui entretient trois modes de relation avec le concept de sexe[2].

Tout d'abord, déterminé par le sexe biologique dont il serait une traduction sociale. Dans ce cas, genre et sexe sont en adéquation l'un avec l'autre. Un homme est de genre viril, parce qu'il est né « homme » et une femme, de genre féminin, parce qu'elle est née « femme ».

Le genre peut ensuite être considéré comme une construction sociale, sans qu'il soit nécessaire de faire référence à la détermination biologique. C'est le sens le plus couramment admis en sciences sociales. Par « différences de genre », on entend la hiérarchisation symbolique et matérielle des activités (la division sexuelle du travail impliquant un rapport de pouvoir[3] et une domination masculine[4]). S'il y a des disjonctions possibles entre son sexe et son (ses) genre(s), les différences anatomiques entre les deux sexes restent néanmoins posées comme universelles et le « butoir ultime de la pensée »[5].

Une troisième conception du genre interroge enfin la réalité même des différences anatomiques, considérant le

---

1. Luc Boltanski, *De la critique. Une sociologie de l'émancipation*, Gallimard « NRF Essais », 2009.
2. Voir Nicole-Claude Mathieu, *L'anatomie politique*, Paris, Côté femmes, 1991.
3. Colette Guillemin, *Sexe, race et pratique du pouvoir*, Paris, Odile Jacob, 1996.
4. Pierre Bourdieu, *La domination masculine*, Paris, Seuil, 1998.
5. Françoise Héritier, *Masculin/féminin. La pensée de la différence*, Paris, Odile Jacob, 1996, p. 20.

sexe lui-même comme une construction sociale, soumise à variation si l'on regarde l'histoire des traités médicaux. Il n'existerait donc pas de corps, vierge de sens, sur lequel viendrait se poser la signification culturelle du genre. C'est le genre qui produit le sexe[1]. Dans un tel cadre, la bipartition des sexes et des genres, loin d'être « naturelle », est une fiction entretenue par la réitération contraignante des normes de genre qui donnent l'illusion de fixité des sexes et des genres, mais aussi de la sexualité. Les normes de genre induisent en effet la « naturalité » de l'hétérosexualité : être un homme ou une femme, c'est implicitement se reproduire avec l'autre sexe.

Le fait de penser le genre comme un dispositif normatif implique par conséquent de s'intéresser aux variations historiques et géographiques des interrelations entre sexe/genre/sexualité, de mettre en évidence, dans un groupe donné, les relations de pouvoir qui ordonnent les relations entre les genres et les sexualités, mais aussi de pointer les conditions de possibilité de la subversion des normes de genre, tant à l'échelle biographique qu'à l'échelle d'un groupe social.

54 – Habitus

Le concept d'habitus est utilisé par Pierre Bourdieu pour rendre compte de l'ajustement qui s'opère le plus souvent « spontanément », c'est-à-dire sans calcul ni intention expresse, entre les contraintes qui s'imposent objectivement aux agents, et leurs espérances ou aspirations subjectives. Il s'agit d'expliquer « cette sorte de soumission immédiate à l'ordre qui incline à faire de nécessité vertu, c'est-à-dire à refuser le refusé et à vouloir l'inévitable »[2], à percevoir le monde social et ses hiérarchies comme allant de soi.

---

1. Christine Delphy, *L'ennemi principal*, Paris, Syllepse, 1998 ; Judith Butler, *Le trouble dans le genre*, Paris, La Découverte, 2005.
2. Pierre Bourdieu, *Le sens pratique*, Paris, Éditons de Minuit, 1980, p. 90.

L'habitus est un ensemble de dispositions durables, acquises, qui consiste en catégories d'appréciation et de jugement et engendre des pratiques sociales ajustées aux positions sociales. Acquis au cours de la prime éducation et des premières expériences sociales, il reflète aussi la trajectoire et les expériences ultérieures : l'habitus résulte d'une incorporation progressive des structures sociales. C'est ce qui explique que, placés dans des conditions similaires, les agents aient la même vision du monde, la même idée de ce qui se fait et ne se fait pas, les mêmes critères de choix de leurs loisirs et de leurs amis, les mêmes goûts vestimentaires ou esthétiques. Un même petit nombre de principes générateurs (le sens de la distinction des classes supérieures, la bonne volonté culturelle des classes moyennes, le choix du nécessaire par les classes populaires) permet ainsi de rendre compte d'une multitude de pratiques dans des domaines très différents[1].

L'habitus est une anticipation à l'état pratique et non une détermination mécanique. Les dispositions peuvent rester à l'état de virtualité, comme le courage guerrier en l'absence de guerre. Chaque microcosme social ou champ (§ 39) requiert un habitus spécifique qui exige une conversion plus ou moins radicale de l'habitus originaire. En outre, en raison des changements structurels ou de la mobilité sociale, l'ajustement entre les dispositions et les positions n'est pas toujours assuré, il existe toujours des agents déplacés, mal dans leur place et « mal dans leur peau ». La diversité des expériences sociales (ascension sociale ou déclassement, hétérogamie, etc.) peut ainsi générer des habitus individuels clivés[2] ou dissonants[3].

1. Pierre Bourdieu, *La distinction, op. cit.*
2. Pierre Bourdieu, *Méditations pascaliennes*, *op. cit.*
3. Bernard Lahire, *L'homme pluriel*, Paris, Gallimard-Seuil, 1995.

55 – Homogamie

Quand on compare les conjoints de couples hétéro-sexuels, on constate fréquemment des ressemblances qui touchent à l'âge, mais aussi à un certain nombre d'autres caractéristiques comme l'origine sociale, l'appartenance socioprofessionnelle, l'orientation politique...[1] On parle alors de couples homogames. Les sociologues s'interrogent depuis longtemps sur les enjeux de telles alliances. Au nombre des expériences sociales produisant un effet d'orientation sur les conduites des individus, à côté de la fréquentation de l'institution scolaire ou du monde du travail, on peut citer la pratique de la conjugalité stable avec un individu doté des mêmes propriétés sociales. Les conditions de production, d'entretien et de transmission de codes et de valeurs dans le cadre familial s'en trouvent sans doute aussi affectées.

Quant aux facteurs favorisant ces alliances préférentiellement nouées entre personnes qui se ressemblent, s'ils ne sont que rarement à rechercher du côté d'une intervention des familles pour « arranger » le mariage, la formation des goûts dans l'espace familial semble jouer dans le choix d'un conjoint homogame socialement par la reconnaissance chez l'autre de goûts communs. La ségrégation sociale observable dans les lieux retenus par les acteurs sociaux pour des rencontres à vocation conjugale suffit aussi à limiter les alliances hétérogames rapprochant des mondes sociaux très différents[2]. Quand cela se produit néanmoins, des phénomènes de mariage en gendre identifiés par les anthropologues surviennent parfois pour reconstituer des univers homogènes de socialisation de la descendance par renoncement d'un membre du couple aux attentes que lui prescrit sa trajectoire sociale.

---

1. Alain Girard, « Le Choix du conjoint. Une enquête psycho-sociologique en France », *Cahiers de l'INED* n° 44, 1964.
2. Michel Bozon, François Héran, *La Formation du couple*, Paris, La Découverte, coll. « Grands repères », 2006.

56 – Identité

L'identité est constituée par l'ensemble des caractéristiques et des attributs qui font qu'un individu ou un groupe se perçoivent comme une entité spécifique et qu'ils sont perçus comme telle par les autres. Ce concept doit être appréhendé à l'articulation de plusieurs instances sociales, qu'elles soient individuelles ou collectives.

L'identité personnelle est le produit de la socialisation, laquelle permet la constitution du « Soi »[1]. Pour les sociologues interactionnistes, les identités individuelles naissent des interactions sociales plus qu'elles ne les précèdent[2]. L'identité n'est pas une propriété figée, c'est le fruit d'un processus[3]. Ainsi, le travail identitaire s'effectue de manière continue tout au long de la trajectoire individuelle et dépend à la fois du contexte et des ressources qui peuvent être mobilisées. Cette identité se modifie donc en fonction des différentes expériences rencontrées par les individus. Claude Dubar distingue deux composantes indissociables de l'identité sociale[4]. L'« identité pour soi » renvoie à l'image que l'on se construit de soi-même. L'« identité pour autrui » est une construction de l'image que l'on veut renvoyer aux autres ; elle s'élabore toujours par rapport à autrui, dans l'interaction, en relation avec l'image que les autres nous renvoient, c'est une reconnaissance des autres.

Les identités collectives trouvent leur origine dans les formes identitaires communautaires où les sentiments d'appartenance sont particulièrement forts (culture, nation, ethnies…) et les formes identitaires sociétaires

1. George H. Mead, *L'Esprit, le soi, et la société*, Paris, PUF, [1934], coll. « Le lien social », 2006.
2. Erving Goffman, *La mise en scène de la vie quotidienne.* Tome II. Les relations en public, Paris, Minuit, coll. « Le sens commun », [1973], 1992.
3. Peter Berger, Thomas Luckmann, *La construction sociale de la réalité*, Paris, Méridien-Klinksieck, coll. « Sociétés », 1996.
4. Claude Dubar, *La crise des identités*, Paris, PUF, coll. « Le lien social », 2000.

qui renvoient à des collectifs plus éphémères, à des liens sociaux provisoires (famille, groupe de pairs, travail, religion…). L'individu appartient ainsi de manière simultanée ou successive, à des groupes sociaux qui lui fournissent des ressources d'identification multiples.

57 – Individualisation

Individualisme est un terme polysémique. Le sens sociologique ne doit pas se confondre avec le sens moral, ni d'ailleurs avec le sens méthodologique (autre sens sociologique). L'individualisation désigne un processus de long terme de construction de l'individu comme sujet, processus qui se trouve lié à la démocratie et au marché et sur lequel les auteurs classiques ont insisté (Tocqueville, Durkheim, Simmel). Si on l'associe volontiers à certaines périodes, telles que la Renaissance (en accordant souvent une place privilégiée à la Réforme) ou encore le XIXe siècle marqué par une double révolution politique et industrielle, elle ne fait pas l'objet d'une datation précise, ni d'une chronologie linéaire. Les théories de l'individualisation s'articulent à un récit de la modernité, en distinguant en son sein deux périodes. Le processus d'individualisation connaîtrait depuis quelques décennies (seconde phase de la modernité désignée par des expressions variées) une accélération, voire une forme d'accomplissement. Libérés des carcans collectifs et des assignations statutaires, nous serions désormais soumis à l'injonction sociale d'« être soi », un « soi » authentique et singulier.

Le paradigme (§ 12) de l'individualisation, s'il est développé au sein de la sociologie française sans pour autant constituer une « école » (François Dubet, Alain Ehrenberg, Jean-Claude Kaufmann, François de Singly, etc.) est marqué par l'influence d'auteurs étrangers : Ulrich Beck, Anthony Giddens, Charles Taylor notamment. Là où certains insistent surtout sur la dimension émancipatrice du phénomène, d'autres s'inquiètent des formes de fragilité et d'insécurité qui l'accompagnent. Il est ainsi beaucoup question d'autonomie, de subjectivité et de réflexivité, mais également de risque et d'isolement.

Les théories de l'individualisation se trouvent largement développées en sociologie de la famille, de la religion, de l'engagement (même si elles n'y font pas nécessairement l'unanimité). Elles sont par contre très largement ignorées, voire fortement critiquées, ailleurs. La figure de l'individu est-elle uniquement moderne et occidentale ? L'opposition entre tradition et modernité, entre individualisme et holisme, entre un avant et un après, entre l'ancien et l'inédit, lorsqu'elle est trop tranchée, peut paraître caricaturale. Les processus étudiés sont d'une grande complexité (divorce, croyants « baladeurs », transformation des formes de militantisme, etc.) et il y a quelque chose de réducteur à les soumettre à une grille d'analyse unique. Les individus susceptibles de construire une identité familiale, religieuse ou partisane fluide, sont ceux qui sont bien dotés en ressources en tout genre. Le croisement entre la problématique de l'individualisation et celle des inégalités (§ 58) apparaît donc comme nécessaire. Il semble également particulièrement important de prêter attention aux formes nouvelles de surveillance et de contrôle social, qui accompagnent la promotion de l'individu.

58 – Inégalité

Les PCS (Professions et catégories socioprofessionnelles) ont été pendant longtemps le principal outil des sociologues pour distinguer les différents niveaux de la hiérarchie sociale, notamment en termes de revenus et de conditions de vie, et analyser ainsi l'ampleur des inégalités. Toutefois, les transformations récentes du marché de l'emploi et l'apparition d'un chômage de masse ont conduit à étudier les nouvelles formes de l'intégration professionnelle et les nouvelles inégalités entre les actifs. Les sociologues sont également devenus plus sensibles aux inégalités entre générations, aux inégalités entre sexes, aux inégalités ethniques, lesquelles se superposent souvent aux inégalités sociales et spatiales. Souvent représentées sous la forme de ségrégations, de discriminations, de stigmatisations, ces inégalités multiples conduisent au constat d'une cohésion sociale ébranlée et donc d'une mise en question du contrat social entre les individus et les générations.

La sociologie des inégalités ne peut se satisfaire d'une mesure statistique aussi approfondie soit-elle. Elle doit s'interroger sur les représentations sociales des inégalités et leur évolution dans le temps. En un mot, elle doit accorder une grande attention aux manières de penser les inégalités dans les sociétés contemporaines. La représentation de ces inégalités est variable d'un groupe social à l'autre à l'intérieur d'une même société, mais aussi d'un pays à l'autre. Elle peut également varier selon la conjoncture économique, sociale et politique. Il s'agit alors d'examiner les enjeux de la construction sociale des inégalités en abordant comment les champs d'inégalité se construisent, en particulier à travers une analyse réflexive et un processus d'objectivation des catégories et des nomenclatures. Le regard sociologique peut aussi porter sur la régulation sociale des inégalités : comment la société, comprise comme un tout social, intègre-t-elle les inégalités, et entend-elle les réduire ? La recherche porte alors sur les formes d'organisation et de régulation des sociétés autour des inégalités, ce qui implique une sociologie comparée et globale des sociétés.

59 – Institution totale

Une institution totale est ce concept idéaltypique (§ 32), construit par Erving Goffman à partir des hôpitaux psychiatriques mais étendu à cinq groupes d'institutions (prisons, hôpitaux, casernes, foyers pour indigents, monastères…) pour désigner « un lieu de résidence et de travail, où un grand nombre d'individus, placés dans la même situation, coupés du monde extérieur pour une période relativement longue, mènent ensemble une vie recluse dont les

modalités sont explicitement et minutieusement réglées. »[1]
Toute institution accapare une part du temps et des intérêts
de ceux qui en font partie mais l'institution totale réalise à
l'extrême cette tendance enveloppante en créant un espace
temps où se confondent lieu de travail, lieu de vie et lieu
de loisir.

Erving Goffman entend adopter le point de vue de ceux
qui y sont enfermés, les « reclus », et de décrire fidèlement
la situation du malade : « c'est nécessairement en proposer
une vue partielle »[2], mais cela rétablit l'équilibre puisque
« tous les ouvrages spécialisés relatifs aux malades mentaux présentent le point de vue du psychiatre ». Dans une
partie sur les personnels, l'évocation des pièges de la com-
passion, de ce « danger permanent que le reclus prenne
une apparence humaine »[3], illustre bien cette posture.

Le succès du livre est lié à son inscription dans les critiques institutionnelles et le mouvement anti-psychiatrique
des années 1970 et ses lectures plurielles ont contribué à
la modernité de ce concept[4]. La traduction française de
« total » par « totalitaire » a insisté sur la première partie du livre, le caractère contraignant de l'institution, les
barrières qu'elle dresse aux échanges avec l'extérieur, les
techniques de mortification qu'elle met en place pour marquer la rupture avec la vie d'avant et la coupure entre la vie
recluse et la vie normale.

Goffman insiste surtout sur la prise en charge totale de
tous les besoins dans ce type d'institution. Leur « caractère essentiel est qu'elles appliquent à l'homme un traitement collectif conforme à un système d'organisation
bureaucratique qui prend en charge tous ses besoins. »[5] Il
montre cependant l'existence d'une vie sociale entre les

---

1. Erving Goffman, *Asiles. Études sur la condition sociale des malades mentaux, op. cit.*, p. 41.
2. *Ibid.* p. 38.
3. *Ibid.* p. 129.
4. Charles Amourous et Alain Blanc, *Erving Goffman et les institutions totales,* Paris, L'harmattan, 2001.
5. Erving Goffman, *Asiles, op. cit.*, p. 48.

reclus, d'une solidarité, de possibilités de résistance et de mener une vie clandestine à travers notamment les adaptations secondaires, « permettant à l'individu d'utiliser des moyens défendus ou de parvenir à des fins illicites (ou les deux à la fois) »[1]. L'emprise de l'institution n'est jamais totale. Le reclus peut toujours s'écarter du rôle ou du personnage que l'institution lui assigne naturellement.

60 – Intégration

Concept polysémique par excellence, l'intégration désigne en sociologie un processus social quand, dans le débat public, il est à la fois un objectif (les politiques d'intégration) et un enjeu politique (la « crise du modèle d'intégration »). Si on reprend les grands anciens que sont Durkheim ou l'École de Chicago[2], l'intégration est le processus par lequel l'individu prend place dans une société, par lequel il se socialise. Ce processus équivaut à apprendre les normes et valeurs qui régissent le corps social, cet apprentissage se faisant notamment par le truchement de la famille, l'école ou les groupes de pairs. C'est ainsi qu'Émile Durkheim entendait l'intégration comme une fabrique des futurs citoyens.

Reste qu'aujourd'hui, l'usage social du terme restreint l'intégration, à tort, aux groupes des immigrés et à leurs enfants. Dans cette acception, la société en question est généralement la société d'accueil, quand dans l'usage extensif l'intégration s'applique notamment à tous les nouveaux venus, y compris les enfants et adolescents. Classiquement, l'intégration se décomposerait en plusieurs étapes successives avec, dans un premier temps, l'intégration économique (obtenir un emploi), la maîtrise de la langue, puis le processus d'acculturation qui vise à la maîtrise

1. *Ibid.* p. 245.
2. Émile Durkheim, *Éducation et sociologie*, Paris PUF, [1922], 1975 ; William Thomas, Florian Znaniecki, *The Polish Peasant in Europe and America*, New York, Dover, 1958.

par l'impétrant des normes, coutumes et valeurs de la société à intégrer et le processus d'ascension sociale.

Cependant, avec les travaux récents d'Alejandro Portes sur « l'assimilation segmentée »[1], il a été prouvé que cette vision linéaire du processus (§ 68) ne s'applique pas aussi bien à la réalité. Ce processus est en fait multidimensionnel : être intégré normativement n'implique pas nécessairement la mobilité sociale par exemple, tout comme l'ascension sociale peut se faire sans réelle acculturation. C'est ce que montre une recherche récente sur les différents groupes immigrés français[2]. Ce que nous apprennent les recherches récentes, est que le processus d'intégration dépend fortement de l'attitude de la société d'accueil et notamment de ses propres préjugés, raciaux en particulier. C'est ainsi qu'on peut comprendre pourquoi les Afro-Américains restent encore soumis à de fortes discriminations[3], tout comme les Latinos désormais[4], ou les enfants de l'immigration maghrébine et africaine en France.

61 – Interaction

Une interaction est une action réciproque au sens large. Georg Simmel[5] est le premier à évoquer l'importance des interactions, aussi minimes soient-elles, pour comprendre le monde social. Une interaction n'est pas nécessairement rencontre physique, elle peut être une interaction d'évitement. Dans tous les cas, l'interaction suppose que l'on agit

1. Alejandro Portes, *The Economic Sociology of Immigration*, New York, Russel Sage Foundation, 1995.
2. Mirna Safi, « Le processus d'intégration des immigrés en France : inégalités et segmentation », *Revue Française de Sociologie,* 2006, 47, 1, p. 3-48.
3. Dianne Pinderhughes, *Race and Ethnicity in Chicago Politics : a Reexamination of Pluralist Theory*, Chicago, University of Illinois Press, 1987.
4. Rodney Hero, *Latinos and the U.S. Political System: Two Tiered Pluralism*, Philadelphia, Temple University Press, 1992.
5. Georg Simmel, *Sociologie et épistémologie*, Paris, PUF, coll. « Sociologies », 1989.

comme si on était sous le regard d'autrui, impliquant un ajustement de son action dans l'interrelation.

Les interactions sociales sont formalisées : les relations entre égaux, avec les subordonnés, les supérieurs ou les anonymes sont en grande partie ordonnées par des règles de conduite, permettant à chacun de remplir un rôle attendu et de ne pas perdre la face dans l'interaction qui peut prendre la valeur d'un cérémonial[1]. Cette ritualisation permet de ramener la diversité des interactions possibles à des interactions plus familières.

La sociologie interactionniste propose une étude des interactions au niveau microsociologique (les circonstances immédiates, les relations quotidiennes, en apparence mineures) et au niveau macrosociologique (les contraintes et les possibilités organisationnelles d'un milieu social et d'une époque spécifique qui conditionnent l'interaction). Tous ces niveaux jouent dans le développement de l'interaction dont le cours est à la fois prévisible (en vertu de rites et de routine) et pour partie, incertain, chaque interaction produisant une nouvelle situation[2].

62 – Lien social

Les sociologues savent que la vie en société place tout être humain dès sa naissance dans une relation d'interdépendance avec les autres et que la solidarité constitue à tous les stades de la socialisation le socle de ce que l'on pourrait appeler l'*homo-sociologicus*, l'homme lié aux autres et à la société non seulement pour assurer sa protection face aux aléas de la vie, mais aussi pour satisfaire son besoin vital de reconnaissance, source de son identité et de son existence en tant qu'homme. La notion de lien social est aujourd'hui inséparable de la conscience que les sociétés ont d'elles-mêmes et son usage courant peut être considéré comme l'expression d'une interrogation sur ce

1. Erving Goffman, *Les rites d'interaction*, Paris, Minuit, 1974.
2. Anselm Strauss, *Miroir et masques*, Paris, Métaillié, 1994.

qui peut faire encore société dans un monde où la progression de l'individualisme apparaît comme inéluctable. Une société composée d'individus autonomes est-elle encore une société, et si oui comment ? Depuis la fondation de leur discipline, les sociologues s'efforcent de répondre à cette question. Les premiers d'entre eux ont tenté d'apporter des explications fondées sur l'analyse de l'évolution des sociétés humaines. L'idée de lien social était alors inséparable d'une vision historique à la fois du rapport entre l'individu et ses groupes d'appartenance et des conditions du changement social de longue durée. Dans les sociétés rurales, par définition plus traditionnelles, les solidarités se développent essentiellement à l'échelon de la famille élargie. Liés à la famille pour leur protection, les individus le sont aussi pour leur reconnaissance, l'identité familiale étant alors le fondement de l'intégration sociale. Dans les sociétés modernes, les modèles institutionnels de la reconnaissance se sont individualisés, ils se fondent davantage sur des traits individuels que sur des traits collectifs. C'est moins le groupe en tant que tel qui fonde l'identité que la juxtaposition de groupes différents – ou de cercles sociaux – qui s'entrecroisent de façon unique en chaque individu[1]. Il s'agit d'un processus historique qui place chaque individu dans une plus grande autonomie apparente par rapport aux groupes auxquels il est lié, mais qui l'oblige à se définir lui-même en fonction du regard d'autrui porté sur lui.

63 – Mobilité sociale

La mobilité sociale, qui couvre, l'ensemble des changements de statut ou de position des individus ou des groupes sociaux au cours du temps, constitue un objet central de la sociologie contemporaine. Son approche et sa définition sont indissociables des théories de la stratification et des classes sociales. On distingue généralement les mobilités

---

1. Georg Simmel, *Sociologie. Études sur les formes de la socialisation*, Paris, PUF, coll. « Sociologies », [1908], 1999.

« intra » et « inter » générationnelles. La première désigne les changements de situation d'un individu au cours de son existence, tandis que la seconde s'intéresse à la comparaison des positions d'une génération à l'autre : positions des fils ou des filles (origines) *versus* positions des pères ou des mères (destinées). On parle alors de mobilité « ascendante » ou « descendante » selon que les positions d'arrivée sont situées à niveau hiérarchique plus élevé ou moins élevé que les positions d'origine. Par défaut, la notion générique de mobilité sociale désigne en principe la mobilité intergénérationnelle, dont la mesure et l'analyse constituent un domaine de recherche très prolifique, qui se prête particulièrement à l'usage de techniques statistiques complexes, fondées sur l'analyse des tables de contingences croisant origines et destinées (modèles log-linéaires et log-multiplicatifs) au moyen desquelles il est possible de mesurer le niveau de fluidité sociale des sociétés contemporaines et leur évolution[1]. Dans l'analyse des facteurs de la mobilité, il est souvent fait référence aux notions de mobilité « structurelle », pour désigner les mouvements induits par les transformations de la structure sociale, et de mobilité « nette », pour désigner ceux qui se produiraient indépendamment de tout changement structurel, mais cette distinction est controversée.

L'approche standard de la mobilité s'appuie sur un certain nombre de routines méthodologiques et d'impensés normatifs qui méritent d'être interrogés. En particulier, l'étude de la mobilité sociale tend à considérer implicitement la mobilité, en particulier dans sa variante ascendante, comme un étalon de la justice sociale, lors même que le postulat de désirabilité universelle de la mobilité est loin d'en épuiser la mesure. Une société de faible circulation entre des positions séparées par de faibles écarts est-elle plus ou moins juste qu'une société de forte mobilité entre

---

1. Robert Erikson, John H. Goldthorpe, *The Constant Flux: A Study of Class Mobility in Industrial Societies*, Oxford, Oxford University Press, 1992.

des positions très inégales[1]. On peut aussi s'interroger sur la signification des comparaisons intergénérationnelles de positions occupées dans des catégories nominales (catégories socioprofessionnelles, classes sociales) dont les significations sont elles-mêmes mobiles : un cadre trentenaire de 2009 est-il équivalent à un cadre trentenaire de 1960 ? C'est une des raisons pour lesquelles certains auteurs proposent des mesures alternatives de la mobilité, à partir d'indicateur de capital humain, qui dressent un tableau assez différent de l'état des mobilités réelles[2]. D'où l'importance aussi de saisir, au-delà de la trace statistique des changements de positions, l'expérience vécue des trajectoires de mobilité.

64 – Mouvements sociaux

Les mouvements sociaux sont des formes particulières d'action collective. Trois critères sont généralement admis pour les spécifier. D'abord, ils se manifestent par l'engagement d'acteurs individuels et organisés dans une action collective conflictuelle contre un adversaire afin de promouvoir ou de s'opposer à un changement social. Ils supposent donc des relations antagonistes entre des acteurs qui cherchent à contrôler un même enjeu qu'il soit économique, politique ou culturel. Ensuite, ils se caractérisent par des initiatives concertées et coordonnées au moyen de stratégies et de ressources, sous-tendues par des réseaux d'échanges denses et informels. Enfin, les mouvements sociaux n'existent pas sans la formation d'une identité (§ 56) commune : l'engagement partagé autour d'une

1. Adam Swift, « Would Perfect Mobility be Perfect? » *European Sociological Review*, 2004, n° 20, p. 1-11.
2. Jonathan Gershuny, « Beating the Odds (1): inter-generational social mobility from a human capital perspective », Institute for Social and Economic Research, *Working paper*, N° 2002-17 ; « Beating the Odds (2) : inter-generational social mobility from a human capital perspective », Institute for Social and Economic Research, *Working paper*, N° 2002-18.

même cause permet aux acteurs (§ 34) de se reconnaître non seulement comme liés les uns aux autres, mais également comme appartenant à un mouvement plus large.

Les analyses des mouvements sociaux se distinguent selon qu'elles s'attachent aux conditions d'émergence, aux processus de mobilisation ou aux objectifs des mouvements. La tradition anglo-saxonne s'intéresse aux facteurs qui déterminent les engagements individuels, à la façon dont les contextes sociaux, politiques ou culturels rendent possibles l'action collective ou encore à la construction stratégique des mouvements par la mobilisation de ressources. La tradition européenne accorde quant à elle une place centrale à l'histoire et interroge les relations entre mouvements et changements sociaux. Inscrit dans cette dernière perspective, Alain Touraine fait toutefois du mouvement social moins un objet qu'un concept, défini de façon stricte et restrictive. Il renvoie à un conflit central entre des forces sociales qui luttent pour le contrôle des modèles culturels qui commandent les pratiques sociales, conflit dont résulte l'organisation sociale et qui détermine les types historiques de sociétés.

65 – Normes

Une des principales réflexions de la sociologie, depuis sa création, consiste à comprendre comment sont intériorisées les normes sociales. Selon Émile Durkheim, l'individu est certes susceptible de vouloir se singulariser par rapport à ses semblables mais sa conscience reste marquée par les normes qui enserrent le bien et le mal de la société dans laquelle il se trouve[1]. C'est au travers des différentes instances de socialisation (§ 78) qu'il traverse (la famille, l'école, le travail, *etc.*) que l'individu intègre progressivement ce que le groupe auquel il appartient considère comme « normal » ou « anormal », conforme ou non à ses valeurs.

1. Émile Durkheim, *L'Éducation morale, op. cit.*

C'est le propre des sociétés modernes que de produire des consciences individuelles qui ne sont pas un reflet mécanique des consciences collectives. Des failles dans le processus de socialisation, ou bien le fait d'être socialisé dans des univers contradictoires peuvent conduire un individu à se reconnaître dans des ensembles normatifs différents, voire antagoniques[1]. L'étude des normes sociales peut alors se faire en creux : il ne s'agit plus de décrire à quel(s) ensemble(s) de normes s'attachent telle société donnée, et donc tel groupe dominant en son sein ; mais de se pencher sur ce qui, dans une société, est considéré comme *déviant* : toute pratique ou toute identité perçue comme anormale, du fait des rappels à l'ordre et des éventuelles sanctions qu'elle suscite, informe ainsi sur ce qui fonde le « normal »[2].

66 – Organisation

La notion d'organisation désigne un ordre social mis au service d'un projet dans un cadre délimité et pour une durée relativement longue. Dans le sillage des analyses de Max Weber sur la bureaucratie, les premiers travaux sur les organisations se sont intéressés à des ordres fondant leur légitimité et leur efficacité sur des statuts hiérarchisés alloués selon des principes méritocratiques, ainsi que sur la séparation des buts et des moyens, la segmentation des fonctions et la standardisation des tâches[3].

Partant du postulat que les membres des organisations sont des individus partiellement autonomes dont les intérêts comme les visions des enjeux ne sont pas toujours convergents, des travaux postérieurs ont analysé la coordination et la coopération comme des interactions (§ 61)

1. Peter Berger, Thomas Luckmann, *La Construction sociale de la réalité*, Paris, A. Colin, [1966], 2006.
2. Howard S. Becker, *Outsiders, op. cit.*
3. Michel Crozier, *Le Phénomène bureaucratique*, Paris, Seuil, 1963.

entre les stratégies d'acteurs individuels ou de coalitions d'acteurs et des jeux systémiques auxquels ces interactions donnent lieu. Les organisations formelles ne sont alors qu'un cas de figure dans un continuum d'ordres sociaux contingents[1]. Se pose toutefois la question de la stabilisation et de la reproduction de ces ordres locaux que d'autres travaux attribuent à la régulation conjointe produite par l'interaction entre des règles émanant de la hiérarchie et des modes autonomes d'organisation de la base[2].

67 – Pouvoir

Le pouvoir désigne la capacité de l'acteur individuel ou collectif de contrôler les termes d'une relation d'échange afin qu'elle lui soit favorable[3]. Ni attribut ni possession, le pouvoir se déploie dans des interactions. Dominante, cette conception relationnelle s'illustre par la formule classique de Weber : « le pouvoir est toute chance de faire triompher au sein d'une relation sociale, sa propre volonté, même contre des résistances ; peu importe sur quoi repose cette chance. »[4] Chez Parsons[5], le pouvoir est avec l'argent et l'influence, l'un des moyens dont l'acteur (§ 34) dispose pour parvenir à ses fins dans toute interaction (§ 61).

Le pouvoir suppose une distribution asymétrique des ressources, asymétrie caractéristique des structures de domination[6]. L'attention portée à cette distribution donne lieu à des analyses contrastées du pouvoir décisionnel. La thèse pluraliste[7] envisage une distribution des ressources

1. Erhard Friedberg, *Le Pouvoir et la règle*, Paris, Seuil, 1993.
2. Jean-Daniel Reynaud, *Les Règles du jeu. L'action collective et la régulation sociale*, Paris, A. Colin, 1989.
3. Michel Crozier, Erhard Friedberg, *L'acteur et le système. Les contraintes de l'action collective*, Paris, Seuil, 1977.
4. Max Weber, *Économie et société*, tome. I, *op. cit.*, p. 95.
5. Talcott Parsons, *Politics and Social Structure*, New York, The Free Press, 1969.
6. François Chazel, *Du pouvoir à la contestation*, Paris, L.G.D.J., 2003.
7. Robert Dahl, *Qui gouverne ?*, Paris, A. Colin, [1961], 1973.

de pouvoir entre des groupes d'intérêts diversifiés et nombreux. Si des coalitions sont possibles, rien s'apparentant à une classe dirigeante unifiée n'existe ; le système décisionnel est polyarchique. La thèse marxiste[1] insiste, elle, sur l'existence d'une élite du pouvoir compte tenu de l'interpénétration des diverses fractions de la classe dirigeante.

Pour sa part, Foucault[2] considère que le pouvoir est partout et qu'il s'exerce selon un jeu de relations inégalitaires et déséquilibrées, résultant d'une structure sociale différenciée. Des rapports de force multiples se forment et jouent aussi bien au travail, dans la famille, les institutions... Le pouvoir vient donc d'en bas. Il n'est ni extérieur ni surplombant mais produit des sujets « de l'intérieur » : les procédures, dispositifs et techniques du bio-pouvoir investissent la vie de part en part et donnent son caractère « disciplinaire » à la société.

Enfin, quelles que soient les perspectives adoptées, les sociologues retiennent que là où il y a pouvoir, il y a résistance et contre-pouvoir.

68 – Processus

Si les sociologues ont toujours été sensibles au caractère fluctuant de la vie sociale, force est de reconnaître qu'ils attachent aujourd'hui une plus grande importance encore à l'analyse dynamique des faits sociaux et notamment aux trajectoires des individus et des groupes. Ce regain d'intérêt pour l'analyse des processus s'explique au moins partiellement par la prise de conscience de la vulnérabilité sociale. Les situations d'instabilité, qu'elles soient d'ordre professionnel (précarité du travail et de l'emploi, chômage), familial (rupture conjugale, recomposition des familles) ou social (fluidité et risque d'affaiblissement des liens sociaux), se sont en effet accrues. Il n'est pas faux de

1. Charles Wright-Mills, *L'élite du pouvoir*, Paris, Maspero, [1956], 1969.
2. Michel Foucault, *La volonté de savoir*, Gallimard, Paris, 1976.

dire que de plus en plus de personnes sont devenues vulné-
rables alors qu'elles étaient – ou auraient été – à l'abri de
ce risque au cours de la période des « trente glorieuses ».
Ce constat a conduit les sociologues à mettre en doute
l'analyse statique du social. La pauvreté est étudiée, par
exemple, comme un processus cumulatif et multidimensionnel de difficultés à la fois économiques et relationnelles. D'une façon plus générale, le regard que l'on porte sur
des groupes sociaux aussi divers que les jeunes, les vieux,
les immigrés, les salariés de tel ou tel secteur, les chômeurs ou les handicapés, peut changer à partir du moment
où l'observation se fonde sur des données longitudinales
qui permettent de retracer des trajectoires, des parcours
biographiques et de repérer des bifurcations, des points de
rupture. Ce type d'analyse conduit souvent à souligner la
spécificité de chaque parcours, mais, au-delà de l'analyse
approfondie des cas individuels, le sociologique se doit de
rechercher, à travers l'analyse des régularités observées,
les facteurs sociaux de ces processus.

69 – Profession

Pour définir ce qu'est une profession en sociologie, il
faut échapper tout à la fois à la polysémie du terme dans le
langage courant, mais également à son usage restreint dans
le monde anglo-saxon.

En Grande-Bretagne et aux États-Unis, les *professions*
correspondent à des activités dont les membres se sont vus
octroyer des droits spécifiques, en raison de leurs savoirs et
compétences ainsi que de leur respect d'un code éthique :
autorégulation, droit de regard sur la formation, monopole
légal. Historiquement, on parle de *professions* à propos de
la médecine, du droit et de la théologie. Par opposition, les
autres métiers sont appelés *occupations*. Sur une échelle
d'autonomie, de prestige et de revenu, ces dernières sont
inférieures aux *professions*.

Des années 1920 aux années 1960, des sociologues
d'obédience fonctionnaliste, dont le plus célèbre est

Parsons[1], s'attachent à dégager une série de critères typiques des *professions* (critères d'ailleurs variables d'un auteur à l'autre), dont la médecine serait emblématique. Ils s'intéressent en outre au passage du statut d'*occupation* à celui de *profession*, c'est-à-dire au processus de professionnalisation.

Everett Hughes[2] refuse cette hiérarchie. Il se méfie du terme *professions* et considère que les fonctionnalistes se sont laissés piégés par la « rhétorique sociale » développée par leurs membres qui s'attachent à présenter leur activité comme rendant un service indispensable et désintéressé à la collectivité, ce qui le conduit à remettre en cause la légitimité de leurs privilèges. Mettant en outre en évidence les vertus heuristiques d'une étude comparée des métiers, il plaide en faveur d'une sociologie des « métiers modestes », autant que de celle des « professions prétentieuses ». Ainsi, ses étudiants à l'Université de Chicago s'intéressent aux musiciens de jazz, aux concierges, aux chauffeurs de taxis, aux fourreurs ou encore aux entrepreneurs de pompes funèbres.

Une troisième voie, entre vision essentialiste des fonctionnalistes et perspective critique des interactionnistes, consiste à reconnaître une spécificité au travail accompli par certaines professions, qui peut justifier leur autonomie aujourd'hui pourtant souvent menacée[3].

Pour traduire le mot *profession*, on a souvent recours à l'expression « professions établies ». Si les professions sont longtemps restées un objet d'étude marginal de la sociologie française (au profit d'une sociologie du travail et tout particulièrement du travail ouvrier, mais également d'une sociologie des organisations), il s'agit d'un champ particulièrement dynamique depuis une vingtaine d'années. Refusant le cadre jugé trop étroit du modèle

1. Talcott Parsons, *Éléments pour une sociologie de l'action*, Paris, Plon, [1937], 1955.
2. Everett Hughes, *Le regard sociologique. op. cit.*
3. Florent Champy, *La sociologie des professions*, Paris, PUF, coll. « Quadrige Manuels », 2009.

anglo-saxon des *professions*, c'est une « sociologie des groupes professionnels »[1], très influencée par l'approche interactionniste, qui se trouve développée.

70 – Réciprocité

Pour étudier les échanges de la vie quotidienne, les sociologues, ainsi que les anthropologues, partent souvent de la notion de réciprocité et s'appuient sur le célèbre *Essai sur le don* publié en 1925 par Marcel Mauss[2]. Pour le neveu de Durkheim, le don, comme fait social total, caractérise un cycle d'échanges composé de trois dimensions : donner, recevoir, rendre. Il s'agit en réalité de trois dimensions rassemblées en une sorte de complexus à l'intérieur duquel elles deviennent opératoires. Pour Mauss, le don est une structure au sens où chacune de ces trois dimensions n'existe que par la relation qu'elle entretient avec les deux autres. Autrement dit, pour qu'un don soit possible et que le processus qui le nourrit se maintienne dans la durée, il doit correspondre à un échange dans lequel le donateur et le receveur s'engagent mutuellement : ce n'est pas seulement le receveur qui contracte une dette, mais aussi le donateur puisque celui-ci devra accepter en retour un contre don de la part de celui-ci envers qui était destiné son premier geste. Mauss explique cette structure de la façon suivante : « Si on donne les choses et les rend, c'est parce qu'on *se* donne et *se* rend "des respects" – nous disons encore "des politesses". Mais aussi c'est qu'on *se* donne en donnant, et si on *se* donne, c'est qu'on *se* "doit" – soi et son bien – aux autres ». Plus de quatre-vingts ans après sa parution, ce texte continue de nourrir des débats au sein des sciences sociales et de susciter de nombreuses enquêtes.

1. Voir Didier Demazière, Charles Gadéa (dir.), *Sociologie des groupes professionnels. Acquis récents et nouveaux défis,* Paris, La Découverte, coll. « Recherches », 2009 ; Claude Dubar et Pierre Tripier, *Sociologie des professions*, Paris, A. Colin, coll. « U », 2005.
2. Marcel Mauss, *Essai sur le don*, Paris, PUF, coll. « Quadrige », [1925], 2007.

71 – Régulation

Les sociologues qui étudient les normes sociales font souvent référence à la notion de régulation. Il s'agit alors d'étudier la régulation juridique ou normative d'une société. Émile Durkheim attachait lui-même beaucoup d'importance à ce concept qu'il opposait à celui d'intégration (§ 60). Ces deux concepts constituent même dans l'ensemble de son œuvre les deux fondements principaux du lien social. Dans son ouvrage *L'éducation morale*[1] qui correspond au premier cours de Science de l'éducation donné à la Sorbonne en 1902-1903, il est frappant de constater qu'il insiste sur deux éléments de la moralité : l'esprit de discipline et l'attachement aux groupes. Le premier renvoie à la régulation, le second à l'intégration. Chez certains hommes, c'est le sentiment de la règle qui est prépondérant. Ils y obéissent sans hésitation avec la conviction d'accomplir ainsi leur devoir en toute rationalité. « Leur caractéristique, c'est la puissance de contention qu'ils peuvent exercer sur eux-mêmes ». Chez d'autres, au contraire, c'est le sacrifice dans la joie, le don de soi et l'attachement aux autres qui constituent le principe de l'activité morale. « Ils aiment à s'attacher, à se dévouer ; ce sont les cœurs aimants, les âmes généreuses et ardentes, mais dont l'activité, par contre, se laisse difficilement régler. » En somme, les premiers ont une autorité sur eux-mêmes qui leur vient de la pratique du devoir, tandis que les seconds, sans doute plus passionnés, libèrent une énergie créatrice dans une communion avec la société. Mais Durkheim ne s'en tient pas à cette distinction entre deux types d'individus, il entend souligner que ces deux éléments de la moralité sont aussi constitutifs des sociétés et que c'est tantôt l'un et tantôt l'autre qui domine. Il distingue ainsi les phases d'équilibre et de maturité des sociétés où l'ordre s'impose naturellement à la grande majorité des individus et les phases de transition et de transformation où l'esprit de disci-

1. *Op. cit.*

pline ne saurait garder sa vigueur morale. Dans ces phases d'ébranlement des règles en usage, le besoin d'un idéal se fait sentir et l'esprit de dévouement et de sacrifice devient le ressort moral par excellence et le fondement privilégié du lien social (§ 62). Afin de favoriser à la fois le respect des règles et l'adaptation généreuse au changement, il est par conséquent logique pour Durkheim de préconiser aussi bien l'esprit de discipline que l'attachement aux groupes comme éléments de moralité à constituer chez l'enfant.

72 – Représentations

En tant que verbe, représenter signifie rendre présent un objet ou un sujet absent. Ce n'est donc pas par hasard que ce terme est avant tout utilisé dans le domaine artistique et notamment dans la peinture. Il a cependant d'autres accceptions, comme en politique où l'on parle de Représentation nationale à propos du parlement[1], celui-ci ayant pour fonction d'incarner (théoriquement) la nation. D'ailleurs, ce type de démocratie « représentative » est régulièrement confronté à la problématique de la représentation-miroir[2], c'est-à-dire le souhait que les élus représentent mieux les électeurs en termes de genre, d'origine sociale voire d'origine ethnique.

En sociologie les représentations constituent des construits intellectuels par lesquels les acteurs se rendent intelligible le monde qui les entoure. La « France » ainsi n'est pas qu'une réalité physico-géographique, mais aussi un construit, une « communauté imaginée » selon Benedict Anderson, qui a la particularité d'être sociale parce qu'en tant que représentation elle est partagée par un ensemble d'individus.

---

1. Voir Bernard Manin, *Principes du gouvernement représentatif*, Paris, Champs-Flammarion, 1996.
2. Giovanni Sartori, *Théorie de la démocratie*, tr. fr., Paris, A. Colin, [1957], 1973.

D'aucuns tendent à séparer le monde des faits sociaux et celui des représentations. De fait, les représentations renvoient souvent à une vision subjectivée de la réalité sociale, ne serait-ce qu'à cause des valeurs et des normes de ceux qui les portent. Reste que les représentations ont un impact sur la vie des individus et les interactions (§ 61) qu'ils peuvent avoir. Ainsi, l'idée de l'existence de races humaines est un construit dont la génétique a démontré le caractère non scientifique, il n'empêche qu'en tant que représentation et préjugé elle a un impact sur les individus (les discriminations). Certains psychosociologues, comme Gordon Allport[1], ont d'ailleurs démontré que les préjugés sont particulièrement durs à combattre parce qu'ils s'ancrent dans le besoin du cerveau humain de catégoriser les faits et les groupes, bref de se les représenter à partir d'une simplification cognitive de leur diversité inhérente.

73 – Reproduction

La reproduction sociale désigne la transmission intergénérationnelle des capitaux, pouvoirs et privilèges, et donc aussi la perpétuation des hiérarchies sociales. L'héritage économique ne suffit pas à rendre compte des mécanismes de reproduction. Pierre Bourdieu et Jean-Claude Passeron[2] montrent ainsi la place des facteurs culturels et symboliques dans les stratégies mises en œuvre par les classes dominantes pour conserver ou augmenter leur patrimoine dans le temps.

Il existe différents instruments de reproduction sociale auxquels correspondent des modes de reproduction distincts. Dans le mode de reproduction familial, c'est la famille qui contrôle la transmission de l'héritage. Les stratégies de reproduction passent alors, par exemple, par

---

1. Gordon Allport, *The Nature of Prejudice*, Cambridge, Addison-Wesley, 1954.
2. Pierre Bourdieu et Jean-Claude Passeron, *La reproduction, éléments pour une théorie du système d'enseignement*, Paris, Minuit, 1970.

le contrôle de la fécondité pour limiter le nombre d'enfants, une stricte éducation familiale qui cherche à former des héritiers « dignes » de leur héritage, des stratégies successorales, des stratégies matrimoniales qui visent à éviter les mésalliances. Avec la généralisation du mode de reproduction à composante scolaire, le titre scolaire s'impose de plus en plus comme une condition indispensable de la reproduction des positions sociales dominantes. L'École reproduit les inégalités sociales préexistantes entre les groupes en éliminant statistiquement les enfants des classes populaires et en sélectionnant statistiquement les enfants des classes supérieures qui ont accès aux filières les plus prestigieuses. La reproduction de la hiérarchie sociale est alors aussi une reproduction de l'ordre social et de ses principes de légitimation, puisque les inégalités sociales, transmuées en inégalités scolaires, sont rapportées à des différences d'aptitudes ou de « dons ». L'institution scolaire peut d'autant mieux contribuer à la reproduction de la structure sociale qu'elle réussit à dissimuler la fonction dont elle s'acquitte[1].

La reproduction sociale n'est pas exclusive d'une certaine mobilité sociale (§ 63). La mobilité des individus peut au contraire garantir la stabilité de l'ordre établi : la sélection contrôlée d'un nombre limité d'individus, qui ont été transformés par leur ascension individuelle et sont portés à adhérer à un système qui les a promus, conforte et légitimise les instruments de reproduction et l'existence de rapports de domination entre les groupes.

74 – Réseau

Si la notion de « réseau social » a récemment été mise à la mode par le succès planétaire des communautés virtuelles comme *Facebook* ou *MySpace*, ses usages sont en réalité

---

1. Pierre Bourdieu, *La Noblesse d'État. Grandes écoles et esprit de corps*, Paris, Minuit, 1989.

assez anciens dans les sciences sociales[1]. L'anthropologue britannique John Barnes[2], fut probablement le premier a y avoir recours systématiquement pour décrire les formes spécifiques de la stratification sociale dans la petite île norvégienne qu'il étudiait dans les années 1950 : la notion de réseau permettait en effet de rendre compte de l'enchevêtrement complexe, ouvert, multiforme, de structures changeantes des relations sociales sur lesquelles elle reposait. Barnes avait ainsi eu l'intuition que tous les habitants de l'île, et au-delà tous les habitants de la Norvège et de la planète, étaient reliés entre eux par des chaînes d'interconnaissance plus ou moins longues. Dix ans plus tard, le psychologue américain Stanley Milgram, avec sa fameuse expérience du « petit monde », démontrait qu'aux États-Unis tous les individus étaient reliés les uns aux autres par des chaînes d'interconnaissance qui comportaient en moyenne « six degrés de séparation ».

Avec les apports de la formalisation mathématique, en particulier de la théorie des graphes et du calcul matriciel, l'analyse des réseaux sociaux s'est ensuite développée jusqu'à constituer un véritable courant à l'intérieur des sciences sociales[3]. Si les corpus de données relationnelles sont difficiles à constituer, ils offrent en effet la possibilité de visualiser par des représentations graphiques souvent spectaculaires les structures relationnelles, et surtout de mesurer les propriétés structurales des individus (leur degré de centralité dans un réseau, leur autonomie, ou encore leur capacité à se situer comme intermédiaires dans les relations entre un grand nombre d'individus au sein des populations étudiées), et propriétés des structures que forment leurs relations (densité, connexité, centralisation,

1. Pierre Mercklé, *Sociologie des réseaux sociaux*, Paris, La Découverte, coll. « Repères », 2004.

2. John A. Barnes, « Class and Committees in a Norwegian Island Parish », *Human Relations*, 1954, 7, p. 39-58.

3. Alain Degenne et Michel Forsé, *Les réseaux sociaux. Une approche structurale en sociologie*, Paris, A. Colin, coll. « U », [1994], 2004.

hiérarchisation, conflictualité…), aussi bien de façon statique que dynamique[1].

75 – Rôle

George H. Mead[2], fondateur de la psychologie sociale et précurseur de l'interactionnisme symbolique, place le « rôle » au centre de sa théorie de la socialisation : lorsque l'enfant joue, il fait l'apprentissage de règles collectives en adaptant sa conduite à celle des personnes qui l'entourent ; ce faisant, il intériorise par imitation le comportement d'autrui *(role taking)* et élabore pour lui-même un ensemble de rôles qui lui permettent progressivement de trouver sa place dans le jeu et, par extension, dans la vie sociale. La notion de « rôle » permet ainsi d'expliquer le rapport de l'individu à la structure sociale au gré d'adaptations successives.

Prolongeant cette théorie, Robert Linton[3] montre que chaque individu joue un rôle qui correspond à ce que les autres attendent de lui du fait de son « statut » *(status)* (c'est-à-dire de son âge, son sexe, ses origines sociales, sa profession, etc.). La définition du rôle de chacun(e) émerge donc toujours d'une interaction avec autrui. Mais cette définition peut être multiple : selon Erving Goffman[4], si le statut social d'un individu est décisif, on observe souvent qu'il peut ne pas faire ce qu'on attend de lui, c'est-à-dire ne pas se conformer à son rôle officiel pour laisser voir d'autres facettes de sa personnalité *(role distance)*.

1. Emmanuel Lazega, *Réseaux sociaux et structures relationnelles*, Paris, PUF, coll. « Que sais-je ? », [1998], 2007.
2. George H. Mead, *L'Esprit, le Soi et la Société*, Paris, PUF, [1934], *op. cit.*
3. Robert Linton, *The Study of Man*, New York, Appleton Century, 1936.
4. Erving Goffman, [1961], « La "distance au rôle" en salle d'opération », *Actes de la recherche en sciences sociales*, 2002, vol. 3, n° 143, p. 80-87.

76 – Ségrégation

La notion de ségrégation est le plus souvent employée en référence au problème urbain. Il s'agit de mesurer l'ampleur des inégalités spatiales dans les villes et de souligner par là même le risque d'enclavement de certains quartiers. Mais la dimension spatiale de cette notion recoupe en réalité la dimension sociale (au sens des inégalités de statut et de conditions de vie), la dimension ethnique (au sens des formes de discrimination à l'égard des immigrés et des Français d'origine étrangère) et la dimension scolaire (la ségrégation, objet de préoccupation des politiques de la ville depuis plusieurs années, est devenue courante à l'école). La crise des banlieues qui a éclaté en France à la fin de l'année 2005 avec son cortège de violences et d'incendies a surpris le monde entier par son ampleur et sa radicalisation. Elle renvoie à un malaise profond qui couve depuis au moins deux décennies.

On serait tenté bien entendu de l'expliquer en premier lieu par la situation économique et plus particulièrement par la crise de la société salariale. Les jeunes de ces banlieues sont au chômage et vivent dans des foyers où la pauvreté est réelle. La concentration de la misère dans ces quartiers renforce le stigmate (§ 80) pesant sur ceux qui y vivent. Il s'agit alors d'un processus de disqualification à la fois sociale et spatiale. Il n'est pas certain toutefois que le chômage, même à ce point incrusté dans l'espace, soit le seul facteur explicatif de ce malaise. Il faut y voir aussi le ressentiment et les frustrations à l'égard d'un modèle d'intégration sociale qui ne tient pas ses promesses auprès des populations issues de l'immigration. Comment repenser la solidarité dans une société postcoloniale où le racisme, loin de disparaître, est à la fois l'expression d'un doute sur les capacités de la nation à intégrer les populations immigrées ou issues de l'immigration et la traduction de tensions de plus en plus manifestes entre les différentes composantes de celle-ci ?

77 – Situation, définition de la

Le terme de situation revient assez fréquemment dans les écrits des premiers sociologues américains : Park, Burgess, Thomas, Znanieki, Anderson… s'intéressent en effet moins à « la société » dans son ensemble qu'à des individus aux caractéristiques précises, dans des contextes spécifiques.

Comment comprendre les actions de ces individus ? Ils ne font pas que réagir à des stimuli, et ils diffèrent entre eux. Placés dans les mêmes conditions, leurs actions ne vont pas être les mêmes. Ils agissent en fonction de ce qu'ils comprennent être la situation dans laquelle ils se trouvent, ce que W. I. Thomas appelle la « définition de la situation »[1]. Penser qu'une situation est « dangereuse » ou « agréable » ne produira pas les mêmes actions.

Cette attention à la définition de la situation se retrouve sous-jacente aux travaux de nombreux sociologues interactionnistes, au premier rang desquels ceux d'Erving Goffman.

78 – Socialisation

La socialisation désigne les mécanismes de transmission de la culture ainsi que la manière dont les individus reçoivent cette transmission et intériorisent les valeurs, les normes et les rôles qui régissent le fonctionnement de la vie sociale.

La socialisation « manifeste » peut être assimilée à un processus volontaire et explicite visant à structurer la personnalité d'autrui. La socialisation « latente » correspond davantage à un processus où l'enfant intériorise les normes et les valeurs de la société dans laquelle il vit sans

---

1. William Isaac Thomas *The Unadjusted Girl*, Montclair (NJ), Patterson Smith, [1923], 1969, p. 41 ; voir aussi William Isaac Thomas, Dorothy Swaine Thomas, *The Child in America*, New York, Knopf, [1928], 1938, p. 571-572.

qu'il y ait d'apprentissage spécifique ni réelle conscience de participer à ce processus. Pour George H. Mead, c'est par la confrontation aux « autruis significatifs » puis aux « autruis généralisés » que ce processus (§ 68) de socialisation latente va s'effectuer[1].

La socialisation doit être considérée comme un processus continu qui concerne les individus tout au long de leur vie. On distingue classiquement une socialisation primaire et une socialisation secondaire[2]. La socialisation primaire correspond à la période de l'enfance. Ce processus s'effectue d'abord dans la famille qui en constitue l'instance principale ; son action est essentielle pour la structuration de l'identité sociale. L'école représente une autre instance majeure de la socialisation primaire : pour Émile Durkheim, cette socialisation méthodique de la jeune génération par la génération adulte permet d'inculquer les normes et les valeurs qui constituent le fond commun de la société[3]. L'enfant se socialise également de manière plus informelle à travers le groupe des pairs. La socialisation secondaire se fonde sur les acquis de la socialisation primaire, les prolonge et éventuellement les transforme. Elle permet aux adultes de s'intégrer à des groupes spécifiques (travail, association, parti politique…) ; chaque individu est ainsi socialisé aux différents rôles sociaux et aux statuts qui seront les siens au cours de sa vie. Si elle est particulièrement intense pendant l'enfance, la socialisation n'est donc jamais achevée, ses résultats sont provisoires et toujours susceptibles d'être remis en question.

1. George H. Mead, *L'Esprit, le soi, et la société*, op. cit.
2. Peter L. Berger, Thomas Luckmann, *La construction sociale de la réalité*, op. cit.
3. Émile Durkheim, *Éducation et sociologie*, op. cit.

79 – Solidarité

Le concept de solidarité est l'un des premiers mots de la sociologie : Émile Durkheim s'appuie sur la distinction entre la « solidarité mécanique » et la « solidarité organique » pour analyser l'évolution des sociétés modernes[1]. La solidarité mécanique fonde le lien social au sein des sociétés traditionnelles ; elle dérive principalement de la similitude des membres du groupe et de leurs fonctions. Durkheim considère qu'à mesure que les fonctions sociales se spécialisent et se diversifient, une solidarité organique se substitue à cette solidarité mécanique. Elle se fonde au contraire sur une différenciation des tâches qui inscrit les individus dans des liens d'interdépendance sociale. Autrement dit une société moderne, les membres du groupe sont certes spécialisés, mais complémentaires.

Dans les travaux sociologiques plus récents, la notion de solidarité reste intimement imbriquée à celle de lien. Elle en épouse donc les différentes formes : familiales, intergénérationnelles, sociales, citoyennes... Chargé des termes du débat public, ce concept polysémique appelle à être déconstruit du point de vue sociologique, au profit non seulement d'une lecture des pratiques de solidarité et de leurs manifestations multiples, mais aussi de leurs fondements, c'est-à-dire des formes d'échange et des logiques de réciprocité (§ 70) dans lesquelles elles s'inscrivent. Ainsi déconstruit, le terme de solidarité devient un outil conceptuel majeur dans la comparaison des modèles sociaux : il permet l'analyse de la variabilité des formes de solidarité à différents échelons territoriaux et sociaux, et de la façon dont elles s'articulent au sein des sociétés contemporaines.

1. Émile Durkheim, *De la division du travail social*, Paris, PUF, coll. « Quadrige » [1893], 2007.

80 – Stigmate

C'est Erving Goffman qui a fait du stigmate (étymologiquement une marque durable sur la peau) un concept sociologique, en l'étendant à tout attribut social dévalorisant, qu'il soit corporel ou non – être handicapé, homosexuel, juif, etc. Le stigmate n'est pas un attribut en soi : il se définit dans le regard d'autrui. Il renvoie à l'écart à la norme : toute personne qui ne correspond pas à ce qu'on attend d'une personne considérée comme « normale » est susceptible d'être stigmatisée. Le stigmate s'analyse donc en termes relationnels. Il renvoie autant à la catégorie à proprement parler qu'aux réactions sociales qu'elle suscite et aux efforts du stigmatisé pour y échapper.

Goffman distingue donc tout un jeu possible de négociations identitaires « lorsque la différence n'est ni immédiatement apparente, ni déjà connue, lorsqu'en deux mots, l'individu n'est pas discrédité, mais bien discréditable »[1]. La personne stigmatisable s'attache au contrôle de l'information à l'égard de son stigmate (le cacher, le dire à certains, le révéler) ; la personne stigmatisée doit gérer la tension entre la norme sociale et la réalité personnelle (se voir confrontée aux réactions gênées de son entourage). Elle se trouve généralement réduite à son stigmate : toutes ses actions sont interprétées à travers ce prisme. Dès lors, elle est séparée des normaux.

81 – Stratégie

La notion de stratégie est utilisée par plusieurs courants sociologiques, mais à partir de points de vue divergents concernant la rationalité des acteurs (§ 34). Les théories du choix rationnel postulent l'existence d'acteurs, mus par des intérêts, capables d'élaborer des plans coordonnés d'actions et d'évaluer les conséquences prévisibles des

---

1. Erving Goffman, *Stigmate. Les usages sociaux du handicap,* Paris, Les Éditions de Minuit, [1963], 1975, p. 57.

choix. Influencées par des modèles économiques, elles s'en démarquent par la place plus grande qu'elles accordent au rôle des croyances et des valeurs[1].

Les sociologues de l'action organisée considèrent, quant à eux, que les stratégies ne peuvent être inférées qu'*ex post* à partir de régularités observées dans le comportement des acteurs. Ces derniers feraient des calculs, mais dans le cadre d'une rationalité limitée : ils visent la satisfaction plutôt que l'optimisation pour pouvoir concilier plusieurs visées et réduire le coût associé à la recherche d'informations et à la délibération autour de choix alternatifs. Cette approche met aussi l'accent sur le caractère contingent et interactif de choix qui ne prennent sens que rapportés au jeu des autres acteurs[2].

D'autres approches, à caractère plus déterministe, réduisent encore davantage le champ de l'action rationnelle en mettant l'accent sur le poids des premières expériences de socialisation. Celles-ci seraient à l'origine de systèmes de dispositions durables et transposables limitant fortement la liberté de choix et le degré de conscience des acteurs[3].

82 – Stratification sociale

La stratification sociale désigne le découpage des sociétés humaines en catégories hiérarchisées, présentant en leur sein une certaine homogénéité, et qui résulte de l'ensemble des différences sociales associées aux inégalités de richesses, de pouvoir, de prestige ou de connaissance. La variété des définitions théoriques et des représentations de la stratification sociale oppose classiquement les schémas de « gradation », dans lesquels les inégalités sont décrites en termes d'échelle (de revenu, de prestige, de niveau d'éducation, etc.) et les schémas de « dépendance »,

1. James S. Coleman, *Foundations of Social Theory*, Cambridge, Belknap Press, 1998.
2. Michel Crozier, Erhard Friedberg, *L'acteur et le système, op. cit.*
3. Pierre Bourdieu, *Le sens pratique, op. cit.*

auxquels s'apparentent l'ensemble des schémas de classes sociales, où les inégalités sont rapportées à l'hétérogénéité de groupes liés entre eux par des relations d'interdépendance réciproque ou unilatérale[1]. Les différentes représentations théoriques de la stratification se distinguent aussi sous le rapport de la plus ou moins grande complexité des dimensions dont elles procèdent. Si les représentations traditionnelles sont plutôt unidimensionnelles, avec une prédilection marquée pour les critères d'ordre économique (revenu et patrimoine), les théories contemporaines de la stratification sociale insistent davantage sur la pluridimensionnalité des inégalités et s'appuient davantage sur une représentation en termes d'espace social qu'en termes d'échelle, en articulant notamment les dimensions économiques et culturelles de la stratification. La pluridimensionnalité des systèmes concrets de stratification ouvre la possibilité de non-congruence entre les positions occupées sur les différentes échelles constitutives de l'espace social[2]. Domaine d'études à part entière, la stratification sociale constitue aussi une clé de lecture courante d'autres phénomènes : stratification sociale des attitudes politiques, culturelles, alimentaires, familiales ou matrimoniales, etc.

1. Stanislaw Ossowski, *Class Structure in the Social Conciousness*, Londres, Routledge & Kegan Paul 1963.
2. Gerhard E. Lenski, « Status Crystallization: A Non-Vertical Dimension of Social Status », *American Sociological Review*, 1954, vol. 19, n° 4, p. 405-413.

Chapitre IV

APPARTENANCES SOCIALES

83 – Âge

Caractéristique biologique d'un corps en vieillissement, l'âge est aussi une caractéristique sociale distinctive pour l'homme vivant en société. Il est une des modalités suivant lesquelles les individus se regroupent fréquemment durant leur vie. À certains « âges de la vie » correspondent des occupations prépondérantes qui sont partagées par des individus d'âge voisin sinon semblable : l'éducation dans l'enfance, le travail à l'âge adulte, le repos et la maladie à des âges avancés… Par suite, la sociologie distingue une succession de moments d'ouverture à des activités nouvelles pour un individu au fil de sa vie, suivant un ordre quasiment identique pour tous les individus, ce qu'on appelle le « cycle de vie » : marqué par l'entrée dans l'institution scolaire, dans la sexualité, dans le travail, dans l'indépendance économique, dans la conjugalité, dans la maternité-paternité, dans l'inactivité… Le changement de préoccupation qui survient à chaque nouvelle étape est partagé par les individus situés au même moment de ce cycle, quand bien même leur âge biologique différerait-il. La plupart de ces changements de classe d'âge sont marqués par un rite de passage qui accompagne le détachement du groupe précédent et l'agrégation au nouveau. À chaque fois, la société construit un rapport de pouvoir, de droits et de devoirs, vis-à-vis du groupe précédent, ce qui conduit les sociologues à parler de « rapports sociaux d'âge » pour rendre compte des relations entre groupes d'âge dont les formes varient suivant les milieux sociaux et les époques.

Enfin, l'âge social se différencie-t-il de l'âge biologique lorsque l'on songe à prendre en compte les événements historiques rencontrés au fil du temps par les individus nés dans une même période, qui les distinguent des individus d'une autre « génération » qui ont connu d'autres expériences structurantes de leur personne sociale.

84 – Classes sociales

L'étude des classes sociales met en présence une grande variété de conceptions, qui privilégient les groupes sur les individus comme unité pertinente d'analyse des faits sociaux. Instruments de catégorisation et d'analyse, les classes constituent aussi une composante de la vie sociale et politique concrète des sociétés. Elles associent ainsi des éléments objectifs, fondés le plus souvent sur des critères théoriques, et des dimensions subjectives, qui renvoient aux sentiments d'appartenance des individus et à leurs capacités de mobilisation et d'action collective.

La théorie marxiste des classes sociales constitue le schéma de classes le plus connu. Elle distingue une classe de travailleurs (prolétariat) et une classe de possédants (bourgeoisie), liés par la relation d'exploitation du travail des premiers par les seconds, détenteurs de la propriété des moyens de production (capital). Ce schéma a connu de multiples raffinements ultérieurs, chez Marx lui-même et chez les auteurs contemporains qui se revendiquent de son héritage théorique, portant en particulier sur le nombre de classes et la nature des ressources (économiques, culturelles, techniques) dont le contrôle conditionne la structure des rapports de production[1].

Mais la conception marxiste coexiste avec d'autres traditions théoriques. Max Weber met ainsi l'accent sur la pluralité des collectifs qui structurent la vie sociale, et dont les classes ne constituent qu'un élément, fonction du mode

1. Erik Olin Wright, *Classes*, Londres, Verso, 1985.

de distribution, des revenus et du patrimoine, coexistant avec d'autres critères de différenciation (prestige, pouvoir). Surtout, la structuration en classes de la société ne repose pas sur l'antagonisme consubstantiel à la théorie marxiste de l'exploitation, en vertu de laquelle la réalité, objective et subjective, des classes dépend de l'existence d'intérêts contradictoires dont la prise de conscience conditionne la construction des identités de classe et l'action collective. De ce point de vue, la perspective wébérienne se cantonne à la dimension objective des classes sociales, qui ne se confondent pas avec des communautés vécues et conscientes d'elles-mêmes. L'un des schémas de classes contemporains les plus populaires, celui d'Erickson, Goldthorpe et Portocarrero[1], relève assez nettement de cette tradition, et il inspire très fortement les réflexions relatives à l'élaboration d'une nomenclature européenne des catégories socioprofessionnelles *(European Socioeconomic Classification)*. Selon ce schéma, la structuration en classes de la société repose principalement sur la différenciation des formes de relations d'emploi, qui oppose les travailleurs dont l'activité est strictement subordonnée dans le cadre d'un contrat de travail à ceux qui sont davantage liés à leurs donneurs d'ordre par une relation de service, qui leur assure une autonomie beaucoup plus large et s'appuie sur des compétences plus rares et de niveau plus élevé. D'autres traditions, d'inspiration durkheimienne, dont la dimension antagoniste est de nouveau absente mais qui accordent en revanche une place prépondérante à la subjectivation des identités de classe, se fondent enfin sur les états de conscience collective attachés aux formes de la division du travail. En France, la nomenclature des catégories socioprofessionnelles élaborée par les statisticiens de l'INSEE, s'appuie sur un mixte de catégorisation théorique, mêlant les critères de qualification, de statut d'emploi, de

---

1. Robert Erickson, John Goldthorpe, Lucienne Portocarrero, « Intergenerational Class Mobility in Three Western European Societies », *The British Journal of Sociology*, 1979, n° 30, p. 30; 415-441.

niveau de revenu et de secteur d'activité, et de sédimentation des catégorisations spontanées de la vie sociale, telles qu'elles s'élaborent en particulier dans les relations conventionnelles entre l'État, les syndicats de travailleurs salariés, et les organisations patronales)[1]. Elle tend ainsi à réconcilier le nominalisme des catégories abstraites et le réalisme des catégories indigènes, et sa construction par emboîtements successifs de la liste détaillée des métiers et des occupations en six groupes socioprofessionnels agrégés, permet de rendre compte de la variété des niveaux de coalescence des groupes sociaux concrets.

85 – Emploi

Le terme « emploi » se comprend par différence avec celui de travail. L'emploi renvoie au statut social lié au fait d'accomplir une activité au sein de la division sociale du travail et à la protection sociale qui stabilise l'individu à une place dans la société. En cela, l'emploi renvoie au statut social et à la régulation formelle du travail alors que ce dernier terme correspond à l'activité concrète effectuée par l'individu, activité qui peut s'exercer de manière informelle. L'emploi peut prendre différentes formes qui correspondent à des régulations différenciées du travail : contrat à durée déterminée, indéterminée, à temps partiel, etc.

En tant que statut, l'emploi se caractérise par un ensemble de protections sociales qui limitent l'assujettissement du salarié au pouvoir patronal d'une part et lui permettent de maintenir la position sociale liée à sa place dans la division sociale du travail en cas d'incapacité temporaire à l'occuper d'autre part.

Le droit du travail et la protection sociale sont ainsi les deux éléments qui différencient l'emploi du travail. Ces droits sociaux construisent un statut social irréductible à la simple activité de travail. Ces protections ne sont pas

1. Laurent Thévenot, Alain Desrosières, *Les catégories socioprofessionnelles*, Paris, La Découverte, coll. « Repères », 1988.

de toute éternité. Elles ont été progressivement inventées au tournant du XXᵉ siècle avant de trouver une application généralisée lorsque les fondations des États-providence ont réellement été jetées dans les pays occidentaux après la Seconde Guerre mondiale.

À mesure qu'un statut de l'emploi a été édifié, un statut de sans-emploi a pu être créé. En effet, le « chômage » a été inventé comme l'envers de l'emploi au moment où les fondations théoriques de la protection sociale étaient élaborées – dans une grande proximité avec celles de la sociologie d'ailleurs – c'est-à-dire au tournant du XXᵉ siècle.

Enfin, puisqu'il correspond à un statut, l'emploi s'inscrit dans une hiérarchie institutionnellement reconnue. En France, les catégories socioprofessionnelles (PCS) constituent une nomenclature (§ 27) des emplois. Ainsi, l'emploi constitue un élément fondamental de classement et de hiérarchie des individus dans les sociétés industrielles.

86 – Famille

Émile Durkheim propose dès 1888, dans le cours de science sociale qu'il professe à la faculté des Lettres de Bordeaux, une introduction à la sociologie de la famille. En 1892, il affine sa lecture et consacre un nouvel enseignement à « la famille conjugale », qui ne comprend que mari, femme, enfants mineurs et célibataires[1]. Durkheim pose dès le départ les jalons des travaux sociologiques à venir en distinguant deux niveaux d'analyse : celui des personnes et des biens, d'une part, celui des institutions et, en particulier, le rôle de l'État, de l'autre. Car, comme il le dit lui-même, « la famille n'existe qu'autant qu'elle est une institution à la fois juridique et morale ».

C'est dire à quel point la famille est un des premiers objets ou champs de recherche pour la discipline. La division du travail en sciences sociales va peu à peu complexifier

---

1. Émile Durkheim, Victor Karady, *Textes 3. Fonctions sociales et institutions*. Paris, Minuit, 1975.

l'abord de cette notion fondatrice : à l'anthropologie sera progressivement dévolue l'analyse des systèmes de parenté et d'alliance, la sociologie se réservant l'étude de la famille conjugale et du ménage. Il faudra attendre les critiques adressées au modèle de la « famille nucléaire »[1] par les études féministes des années 1960 et 1970 pour que se renouvellent les approches de la question familiale.

Les transformations qu'a connues la vie familiale au cours des cinquante dernières années ont contribué à stimuler ce champ de recherche fondateur de la discipline. Tout l'intérêt de la lecture sociologique de ces changements familiaux réside précisément dans le fait de prendre la vie domestique comme un miroir de la société et de ses propres tensions et mutations. En effet se répercute dans la vie familiale une grande partie des transformations qui ont cours au plan du travail, de l'emploi, de la consommation, des relations entre les générations, entre sexes, avec l'État, des besoins de soins et de protection. La famille est un chantier perpétuel pour la discipline.

87 – Nation, nationalité

Deux aspects sont à souligner. Le premier aspect est lié à l'histoire : c'est au cours des siècles précédant le XXe siècle que se construisent, voire s'inventent des traditions nationales et que s'unifient des nations, dotées d'un pouvoir central stable et permanent. Peu après la Première Guerre mondiale, Marcel Mauss tente une première sociologie de la nation comme phénomène global, en s'intéressant à la fois à l'organisation politique, à la langue, aux aspects économiques et religieux afin de comprendre l'attachement ou la résonance affective des nationaux à leur nation (perçue comme lieu de l'exercice de la citoyenneté et comme patrie).

---

1. Talcott Parsons & Robert F. Bales, *Family, Socialization and Interaction Process*. Glencoe, Free Press, 1955.

Le deuxième aspect est lié à la sociologie comparative. L'État-nation sert alors d'unité comparée, de contexte ou de support aux comparaisons. Durkheim repérait ainsi, à la fin du XIXe siècle, que les taux de suicide différaient entre pays et étaient, à court terme, propres à chaque pays. Les comportements des ressortissants étaient différents (les Allemands et les Français n'avaient pas la même propension au suicide). Dans ce cadre, la nationalité n'est pas considérée comme variable explicative : « sous » la nationalité ce sont des « modes de vies » différents qui sont observés.

Plus récemment, la comparaison entre nations a été facilitée par l'unification politique et économique de l'Europe ou la création d'institutions mondiales, productrices de données statistiques.

88 – Orientation politique

L'orientation politique constitue l'ensemble des valeurs, normes et préférences (bref l'idéologie) qui guide ou structure les individus vers un parti ou un camp politique. Contrairement à une vision philosophique de la politique fondée sur un citoyen idéal à la fois rationnel et insensible aux contingences de sa situation personnelle, l'électeur n'est pas seul quand il se présente dans l'isoloir, il amène avec lui ses groupes d'appartenance, son histoire individuelle et ses valeurs. En cela, le vote est certes secret et individuel, mais il peut également être expliqué voire prédit par différents modèles. Le vote est un acte social.

On peut synthétiser les débats sociologiques sur l'orientation politique autour de deux questions : celle d'en avoir une ou non et celle de ses causes. La première question renvoie à la capacité des individus à comprendre le politique et se l'approprier. Comme l'ont montré Philip Converse[1]

1. Philip Converse, « The nature of Belief Systems in Mass Publics » in David Apter (ed.), *Ideology and Discontent*, New York, Free Press, 1964.

ou Pierre Bourdieu[1], la compétence politique, qu'elle soit objective – connaître – ou subjective – se sentir légitime – est inégalement répartie dans la population selon des logiques bien connues (âge, sexe, éducation). Reste que pour d'autres comme Paul Sniderman, l'électeur est un « avare cognitif »[2] qui dispose de suffisamment de prêt-à-penser et de raccourcis cognitifs pour pouvoir remplir le rôle qui lui est assigné en démocratie.

Les modèles explicatifs des orientations politiques se démarquent par leur diversité et les évolutions qui les ont marquées. Longtemps, l'orientation politique pouvait se résumer à « dis moi qui tu es socialement, je te dirai pour qui tu votes ». Un schéma assez marxisant, même si ces modèles intégraient en plus de la classe sociale, des caractéristiques comme la religion ou le lieu d'habitation[3]. Reste que ces « variables lourdes »[4] et sociologiques voient désormais leur effet décliner, au profit d'autres explications plus centrées sur un *homo oeconomicus*[5] ou dans les évolutions des systèmes de valeurs (et notamment les attitudes culturellement libérales[6]).

89 – Privé, public

Aux côtés d'autres caractéristiques (l'âge, la place dans la hiérarchie du travail, l'origine sociale…), faire partie des « gens du privé » ou des « gens du public » est associé

1. Pierre Bourdieu, *La distinction*, *op. cit.*
2. Paul Sniderman, « Les nouvelles perspectives de la recherche sur l'opinion publique », *Politix*, 1998, n° 41, p. 123-175.
3. Paul Lazarsfeld, Bernard Berelson, Hazel Gaudet, *The People's Choice How the Voter Makes up his Mind in a Presidential Campaign*, New York, Columbia University Press, [1944], 1968.
4. Nonna Mayer, « Pas de chrysanthème pour les variables sociologiques » *in* Élisabeth Dupoirier et Gérard Grunberg (dir.), *Mars 1986 : la drôle de défaite de la gauche*, Paris, PUF « Recherches politiques », 1986, p. 149-165.
5. Anthony Downs, *An Economic Theory of Democracy*, New York, Harper Collins, 1957.
6. Herbert Kitschelt, *The Radical Right in Western Europe*, Ann Arbor, University of Michigan Press, 1995.

à des représentations différentes : les images du fonction-
naire paresseux ou du cadre dynamique (du secteur privé)
sont en place depuis plusieurs décennies. Ce n'est toutefois pas une des variables classiques de la sociologie.

Avec la privatisation des entreprises nationalisées
depuis un quart de siècle, les deux principales composantes du « public » sont la fonction publique d'État et
une composante en croissance avec la décentralisation, la
fonction publique territoriale (dépendant des collectivités
territoriales comme les communes ou les départements).

L'appartenance à une sphère professionnelle ou à une
autre différencie, sur un mode mineur, pratiques et opinions : la consommation n'a pas tout à fait la même structure, le patrimoine non plus (les salariés des entreprises
sont plus souvent propriétaires) et les fonctionnaires préfèrent la possession de chats à celle de chiens. Les « gens du
public » votent plus à gauche que les gens du privé.

Mais ces différences sont à combiner avec la prise en
compte de la catégorie (§ 18) : ouvriers, cadres, et employés
du public ou du privé. Les comparaisons entre public et
privé ne sont pas uniformes et les conclusions varient si
l'on compare les cadres entre eux et les employés entre
eux. Dans certains cas (comme les opinions politiques),
les écarts sont plus importants au sommet de la hiérarchie
qu'à la base.

90 – Qualification

Un travail peut être plus ou moins qualifié (n'être réali-
sable qu'au prix d'une certaine formation, d'une habileté
spécifique…), une employée peut se voir reconnue une
qualification (en fonction de l'ensemble des tâches qu'elle
accomplit, en fonction de sa position dans la hiérarchie des
emplois…).

La qualification des travailleurs est une de ces notions
intermédiaires, entre le monde du travail et le monde de la
recherche sociologique. Il a été important, pour les sociologues français de l'après-guerre, d'utiliser cette notion dans

le cadre de recherches sur la rationalisation du travail. D'un autre côté, la qualification était aussi reconnue (ou non) dans le cadre des accords collectifs (entre patronat, État et syndicats), des grilles de classification des emplois et des nomenclatures (grille Parodi et PSC pour les ouvriers…).

Pierre Naville en se basant sur l'étude du travail ouvrier, la définit alors comme « un rapport entre certaines opérations techniques et l'estimation de leur valeur sociale », manière de combiner ces deux aspects : la prise en compte double de l'habileté et du rôle que la qualification joue dans la hiérarchie, au travail et hors du travail.

Notion collective, elle est souvent remplacée, aujourd'hui, par la notion individuelle de « compétence » : alors que la qualification était attachée au poste de travail, la compétence, elle, est attachée à la personne.

91 – Race et ethnicité

Dans les années 1970, la « race » et le « sexe » viennent s'ajouter à la « classe » dans la lecture des rapports de domination. Dans les deux cas, la démarche est la même : montrer qu'il ne s'agit pas de réalités biologiques ayant des effets sociaux mais de constructions sociales visant à justifier des rapports de pouvoir. C'est dans les études sur le genre (§ 53) que l'apparition de la race est depuis le début la plus visible : elle a été utilisée comme outil théorique pour penser, par analogie, la construction sociale du sexe[1] et comme critique à l'adresse de certain(e)s théoricien(ne)s de la domination qui, prenant en compte les rapports de classe et éventuellement de sexe, semblaient en revanche faire comme si le monde social n'était composé que de blanc(he)s (voir le *black feminism*[2]). L'émergence de ces nouvelles catégories

1. Colette Guillaumin, *Sexe, race et pratique du pouvoir. L'idée de nature*, Paris, Côté-femmes, 1992.
2. Elsa Dorlin, *Black feminism. Anthologie du féminisme africain-américain, 1975-2000*, Paris, L'Harmattan, 2008.

d'analyse a été l'occasion de penser ce qu'on appelle désormais l'*intersectionnalité*[1], c'est-à-dire la façon dont s'articulent entre eux les rapports sociaux de classe, de sexe, de race, voire d'âge et de sexualité.

L'usage du terme « race », souvent perçu comme une importation nord-américaine, fait débat en France. Ses détracteur(trice)s, qui ne nient pas l'existence de groupes sociaux racisés, lui préfèrent souvent « ethnicité » : terme moins connoté et dépourvu de référence au biologique, il serait moins sujet à confusion. Ses tenant(e)s arguent pour le maintien de la référence à la nature, non pour la valider mais au contraire pour la défaire : la formulation « rapports sociaux de race » reviendrait à souligner la construction sociale d'une inégalité non soluble dans la classe sociale et prendrait explicitement à rebours la croyance raciste dans l'existence de races biologiques.

92 – Religion

Le paradigme de la sécularisation, comme déclin inéluctable de la religion dans les sociétés modernes, a longtemps été dominant en sociologie des religions. L'érosion des appartenances confessionnelles en est la principale illustration.

Les statistiques administratives étant interdites en la matière, les principales sources d'informations se trouvent en France dans les sondages réalisés par des instituts privés et dans les enquêtes quantitatives internationales conduites par des chercheurs (comme European Values Surveys, EVS). Les différentes données mettent en évidence la baisse des déclarations d'appartenance au catholicisme, au profit surtout des sans religion et dans une moindre mesure de l'islam.

---

1. Elijah Anderson, *Streetwise: Race, Class and Change in an Urban Community*, Chicago, University of Chicago Press, 1990 ; Kimberlé Crenshaw, « Cartographie des marges : Intersectionnalité, politiques de l'identité et violences contre les femmes de couleur », *Les Cahiers du genre*, 2005, nº 39.

Les chiffres produits sont cependant à prendre avec précaution. En effet, les réponses peuvent varier significativement d'une enquête à l'autre, en fonction notamment de la présence ou non d'un filtre dans les questions posées[1]. Ainsi, il n'y aurait plus que 42 % de catholiques en France selon EVS (2008) ; mais encore 64 % selon l'IFOP (2009). La faible visibilité statistique des musulmans dans les enquêtes, probablement liée à un phénomène de sous déclaration, constitue un autre problème. Si 4,5 % des répondants à l'enquête EVS (2008) se reconnaissent dans l'islam, cette proportion bien qu'en hausse peut paraître encore sous-estimée. Enfin, les réponses apportées aux questions relatives aux appartenances confessionnelles indiquent si l'on se situe ou non dans un système institué, si l'on se reconnaît ou non un héritage, mais pas nécessairement un engagement personnel. Or, la religion est largement devenue l'affaire de l'individu, qui peut librement s'y engager, en changer ou s'en passer. Les institutions religieuses s'en trouvent sévèrement affaiblies. Mais en dehors d'elles, certaines croyances religieuses font l'objet de bricolages individuels et prolifèrent. Se dessine ainsi une religiosité mobile et flexible[2], où l'on peut « croire sans appartenir », selon la formule de la sociologue britannique Grace Davie.

93 – Sexe

La distinction de sexe constitue une différenciation sociale universellement reconnue. Loin d'être naturelle, la bicatégorisation en deux sexes relève d'une histoire et d'une institution[3] qui opèrent une réduction de la complexité biologique, diverse selon les époques et les aires

1. Yves Lambert, « La religion en France des années 1960 à nos jours », *Données sociales,* Paris, INSEE, 2002.
2. Danièle Hervieu-Léger, *Le pèlerin et le converti. La religion en mouvement*, Paris, Flammarion, coll. « Champs », 1999.
3. Thomas Larqueur, *La fabrique du sexe*, Paris, Gallimard, 1992.

géographiques. En témoigne l'évolution du traitement médical et juridique accordé aux hermaphrodites et aux transsexuels.

La division en deux sexes, qui pourrait théoriquement être neutre (chaque sexe a une valeur égale), est assortie d'un principe de hiérarchisation (une différence de valeurs et de ressources est attribuée à chaque sexe). Il est donc important, dans l'analyse sociologique, de classer les effectifs étudiés selon le sexe inscrit à leur état-civil, pour en mesurer les effets propres et échapper à l'illusion de l'universel masculin. Pour ce faire, il est important de comparer les deux sexes. Dans une même usine, une ouvrière exerce-t-elle la même tâche qu'un ouvrier ? Perçoit-elle la même rémunération pour le même travail ?

La détermination du sexe ne joue cependant pas seule. Elle doit être croisée avec entre autres, celle de la classe sociale (§ 84), de l'âge (§ 83), de l'appartenance ethnique (§ 91), de la sexualité, afin de mettre au jour les intersections entre ces variables[1] et la spécificité de ce que Danielle Kergoat appelle les « rapports sociaux de sexe »[2]. Une femme noire médecin est-elle par exemple avant tout perçue comme femme, comme médecin et/ou comme noire ?

94 – Statut

Pour la sociologie classique américaine, le statut (ou *status*) désigne la position qu'un individu occupe dans un système social donné[3]. Associé à un ensemble de rôles,

1. Angela Davis, *Femmes, races et classe*, Paris, Des femmes, 2007.
2. Danielle Kergoat, « Division sexuelle du travail et rapports sociaux de sexe » *in* Helena Hirata, Françoise Laborie, Danièle Sénotier, Hélène Le Doare (dir.), *Dictionnaire critique du féminisme*, Paris, PUF, 2000.
3. Voir Talcott Parsons, *The Social System*, New-York, The Free Press, 1951; Bryan S. Turner, *Status*, Milton Keynes, Open University Press, 1988.

il définit ce que l'individu est en droit d'attendre du comportement des autres à son égard.

Si toutes les positions ne sont pas nécessairement liées à une hiérarchie, les sociétés se caractérisent généralement par des classements statutaires dont les fondements dépendent de leurs systèmes de valeurs. Les statuts sont donc ordonnés selon le niveau de privilèges et d'honneur qu'ils confèrent aux individus. S'intéressant aux conséquences sociales de cette distribution, Weber estime que les individus occupant une même position dans le système de prestige d'une société forment des groupes statutaires *(status groups)* [1] : ils ont en commun sentiment d'appartenance, style de vie et point de vue sur le monde. Les groupes statutaires renvoient ainsi à la dimension culturelle de la stratification sociale aux côtés des classes économiques et des partis politiques.

Si la construction théorique du statut social est au cœur de conceptions diverses et en débat, on considère généralement que la position sociale des individus participe de l'explication des comportements, attitudes et aspirations. Le plus souvent, le statut social constitue un indicateur synthétique de la position socio-économique des individus, dont la profession est un élément central. Les sociologues cherchent à le mesurer et l'utilisent comme variable dans leurs analyses. Il est aussi au cœur d'analyses plus dynamiques en termes de mobilité sociale (§ 63) et de déclassement.

De façon plus restrictive, dans la nomenclature des PCS de l'INSEE, le statut renvoie à l'un des critères de classement et permet de distinguer les salariés et les non-salariés (patrons, artisans, agriculteurs, commerçants).

95 – Territoire

La notion de territoire renvoie à l'espace social construit dans et par les limites de l'espace physique. Elle est

1. Max Weber, *Économie et société, op. cit.*

beaucoup plus importante dans la sociologie américaine que dans la sociologie européenne. Pour les sociologues qui se rattachent à l'École de Chicago, la ville a constitué un laboratoire pour comprendre les interactions sociales (§ 61), et la dispersion spatiale des différentes vagues d'immigrants vaut assimilation au creuset de la société américaine. Les « mécanismes » et les « processus » que Park et Burgess[1] croient pouvoir identifier sont de nature sociale et l'espace urbain (différent du « sol », substrat purement physique) en est d'une certaine manière le produit, voire le reflet.

La particularité de ce reflet, c'est qu'il se présente comme une trace matérielle identifiable, mesurable et donc précieuse pour la connaissance du social. Le reflet va fonctionner comme un indicateur. Park dit que c'est seulement dans la mesure où il est possible de réduire ou rapporter les phénomènes sociaux ou psychiques à des phénomènes spatiaux que nous pouvons les mesurer d'une façon ou d'une autre. Dans les grandes métropoles américaines d'immigration comme Chicago, l'intérêt majeur des sociologues se porte sur les zones de transition, celles où l'intégration sociale pose problème. Aux États-Unis, les sociologues, tels Paul Jargowfsky[2], analysent toujours l'effet du territoire dans la désorganisation sociale qui touche certaines populations.

Il ne s'agit pas simplement de catégories forgées par le sociologue, mais aussi de représentations collectives ayant un effet sur les attitudes, les comportements, surtout lorsque le sentiment d'appartenance se trouve renforcé et entretenu en permanence par la proximité territoriale. La concentration de populations homogènes sur un territoire ségrégué peut produire des mécanismes de revendication identitaire. Le ghetto peut être la source d'une fierté. Au

1. *L'École de Chicago. Naissance de l'écologie urbaine*, textes traduits et présentés par Yves Grafmeyer et Isaac Joseph, Paris, Aubier, coll. « Champs urbain », 1979.
2. Paul Jargowfsky, *Poverty and Place: Ghettos, Barrios and the American City*, New York, Russell Sage Foundation, 1997.

contraire, en France, les territoires les plus disqualifiés sont hétérogènes d'un point de vue social et racial et, en ce sens, ils produisent d'abord des mécanismes de mise à distance sociale.

Enfin, même s'il ne lui permet qu'une intégration subordonnée dans la division du travail, le territoire a pu être considéré comme un support pour l'individu. Nicolas Renahy a parlé d'un « capital d'autochtonie »[1] pour désigner le surcroît de chance d'être recruté dans les usines dont bénéficiaient les jeunes qui habitaient près des implantations industrielles, pour immédiatement constater que ce capital s'est considérablement dégradé avec la tertiarisation de l'économie.

---

1. Nicolas Renahy, *Les gars du coin. Enquête sur une jeunesse rurale*, Paris, La Découverte, 2005.

CONCLUSION

96 – Engagement

« Tout savant est aussi citoyen : il cesse d'être savant quand il agit en citoyen. »[1] Ainsi Raymond Aron dénonce-t-il l'ambiguïté du savant engagé, et la confusion des rôles qui peut conduire les sociologues à prendre des positions politiques ou sociales sous couvert d'un discours scientifique. Sans remettre en cause la légitimité d'un engagement public du sociologue, il considère que l'homme de science ne peut ni ne doit attribuer ses prises de position citoyennes à un argumentaire scientifique.

Loin de faire consensus, la question de l'engagement du sociologue dans la Cité clive la discipline depuis sa création, entre les partisans d'une science sociale « utile » et diffusée, et ceux d'une sociologie plus rigoureusement cloisonnée à ses seuls enjeux cognitifs. Au-delà de ces positions, d'aucuns avancent que la sociologie, par l'entreprise de dévoilement (§ 4) qu'elle propose, porte en elle-même un regard critique sur la société et constitue une discipline nécessairement engagée.

Les sollicitations médiatiques, sociales et politiques invitent de plus en plus les sociologues dans le débat public. De façon paradoxale, ce rapprochement entre sociologues et société ne contribue pas nécessairement au renforcement de leur mission d'« intellectuel » : elle va plutôt de pair avec une accentuation de leur visibilité en tant qu'« experts » (§ 97) mobilisés sur un sujet d'actualité

1. Raymond Aron, « Journaliste et Professeur » (Texte de la leçon d'ouverture de l'Institut des Hautes Études de Belgique), le 23 octobre 1959, *Revue de l'Université de Bruxelles*, mars-mai 1960, p. 2-10.

ou une problématique sociale plus ou moins proches de leur champ de compétence scientifique. Le rôle public du chercheur en sciences sociales s'éloigne ainsi de la figure de l'intellectuel généraliste et engagé qui prédominait dans la société française depuis la fin du XIXᵉ siècle, et tend davantage vers celle d'un « intellectuel spécifique » au sens de Michel Foucault, c'est-à-dire conditionné à un champ d'intervention spécialisé. L'appel croissant aux « experts sociologues » invite la discipline à repenser et à redéfinir sa place ainsi que son rôle au sein de la Cité, en soulevant de nouvelles questions éthiques et déontologiques liées à son statut de science sociale, aux conditions de sa diffusion, et aux fondements de son utilité.

97 – Expertise

L'expertise consiste en la production de connaissances spécialisées orientées vers l'action, dans un cadre technique ou professionnel. Reconnu parmi les autres professionnels de son domaine, l'expert tire sa compétence à la fois de la maîtrise d'un savoir spécifique et de son expérience propre. L'expertise peut être envisagée comme une situation problématique, qui requiert un savoir de spécialiste et qui se traduit par un avis, donné à un mandant, afin qu'il puisse prendre une décision[1]. La légitimité de l'expertise repose sur le succès des valeurs de science et de compétence.

La proximité entre l'exercice de l'expertise et l'exercice professionnel doit être soulignée, l'expertise apparaissant pour certains auteurs comme « une image accomplie des traits de la professionnalité »[2]. Pour autant, beaucoup remettent en cause l'idée d'un savoir expert autonome et s'interrogent sur l'évolution des frontières entre expertise

1. Jean-Yves Trépos, *La sociologie de l'expertise*, Paris, PUF, coll. « Que sais-je ? », 1996.
2. Catherine Paradeise, « Rhétorique professionnelle et expertise », *Sociologie du travail*, 1985, vol. XXVII, n° 1, p. 17-31.

savante et « expertise profane » dans une double perspective : d'une part à travers l'affaiblissement de la
légitimité des experts scientifiques dont les connaissances apparaissent discutables et peu stables ; d'autre part
à travers l'ouverture de l'activité d'expertise à des non-
professionnels ou à des experts non « accrédités ». Enfin,
les modalités de l'expertise se sont transformées. À la
figure du spécialiste individuel qui se prononçait au nom
de la maîtrise d'un savoir, ont succédé des formes diversifiées d'expertise (contre-expertise, expertise collective)
jusqu'à des expertises plurielles (multidisciplinaires, enga-
geant plusieurs acteurs) capables d'articuler des connaissances variées et de faire coopérer des acteurs d'origines
différentes.

98 – Le savant et le politique

C'est le titre donné à un célèbre ouvrage de Max Weber[1]
qui contient deux conférences données en 1919, l'une sur
« Le métier et la vocation de savant », l'autre sur « le métier
et la vocation d'homme politique ». Max Weber différencie la posture du savant de celle de l'acteur politique.

Le travail du savant implique une spécialisation rigoureuse afin d'atteindre son but : celui de démontrer la vérité
à partir de faits et d'arguments reconnus comme scientifiquement valables. Il lui faut à la fois une grande rigueur et
une véritable passion, « la science requiert de la modestie
et de la disponibilité d'esprit. » Les hypothèses du savant
sont guidées par une « idée » qui ne lui vient qu'au prix
d'un travail acharné, loin des idées politiques. La science
doit s'en tenir à la neutralité axiologique (§ 9) pour une
compréhension (§ 2) intégrale des faits.

L'acteur politique est un homme d'action qui agit : il
prend position en fonction de ses valeurs tandis que le
scientifique *analyse* les structures politiques : « prendre

1. Max Weber, *Le savant et le politique, op. cit.*

une position politique pratique est une chose, analyser scientifiquement des structures politiques et des doctrines de partis en est une autre. »[1]

Cette question de l'engagement (§ 96) du sociologue reste centrale en sociologie. Le sociologue analyse la société à laquelle il appartient, il va sur ses terrains, souvent au plus près des gens qu'ils étudient, il ne peut rester ce savant dans sa tour d'ivoire. Il est un citoyen qui a ses propres idées, qui a des engagements sociaux, qui est sollicité pour participer aux débats en lien avec ses recherches ou pour rendre un avis d'expert. À quoi sert la sociologie si elle ne contribue pas à améliorer des problèmes sociaux ?

Weber invite le sociologue à ne pas confondre les rôles de savant et d'acteur politique. Le sociologue peut participer aux débats sociaux de son époque et à la réflexion politique, Weber a lui-même fait l'expérience de l'engagement politique en adhérant au parti social-démocrate en 1918 et a publié des articles dans la presse. Il s'agit de ne pas jouer les deux rôles en même temps, de ne pas chercher à imposer ses convictions en s'appuyant sur des faits scientifiques, car le risque serait alors de perdre sa crédibilité scientifique. « On ne peut pas être *en même temps* homme d'action et homme d'études, sans porter atteinte à la dignité de l'un et de l'autre métier, sans manquer à la vocation de l'un et de l'autre. »[2]

99 – « Une heure de peine… »

Émile Durkheim dans la préface à la première édition de *De la division du travail social* (1893), écrit qu'étudier la réalité ne s'accompagne pas du renoncement à l'améliorer : « Nous estimerions que nos recherches ne méritent pas une heure de peine si elles ne devaient avoir qu'un intérêt spéculatif. Si nous séparons avec soin les

1. *Ibid.*, p. 114.
2. Raymond Aron, Introduction *in* Max Weber, *Le savant et le politique*, *op. cit.*, p. 10.

problèmes théoriques des problèmes pratiques, ce n'est pas pour négliger ces derniers : c'est, au contraire, pour nous mettre en état de les mieux résoudre. »

Le but de Durkheim est pluriel : il oppose la sociologie à la philosophie (qui n'aurait pas de but pratique et ne fait pas le détour par l'observation des faits) et aux théories révolutionnaires (qui ne cherchent pas l'amélioration « sagement conservatrice »). Ses élèves, Marcel Mauss ou Célestin Bouglé, reprendront l'expression[1], qui devient imperceptiblement un signe de ralliement.

Mais la sociologie durkheimienne appliquée, dans les années 1930 et après-guerre, sera perçue comme une morale pour instituteurs.

L'expression, pourtant, ne disparaît pas : elle offre à la sociologie une justification changeante. Pierre Bourdieu, en conclusion d'un de ses premiers articles majeurs, écrit ainsi : « La sociologie ne mériterait peut-être pas une heure de peine si elle avait pour fin seulement de découvrir les ficelles qui font mouvoir les individus qu'elle observe, si elle oubliait qu'elle a affaire à des hommes lors même que ceux-ci, à la façon des marionnettes, jouent un jeu dont ils ignorent les règles, bref si elle ne se donnait pour tâche de restituer à ces hommes le sens de leurs actes. »[2]

Le « retour à Durkheim », ici, est allusif (la source n'est pas citée) et modifie l'adversaire : Bourdieu pose, dans ce paragraphe, sa différence avec l'anthropologie structurale, qui ne s'intéresse pas à « restituer aux hommes le sens de leurs actes », et se pose en héritier du fondateur de la sociologie française.

Une vingtaine d'années plus tard, quand Bourdieu reprend l'expression, écrit, pour justifier la publication de certaines de ses conférences publiques, que « [l]a

1. Marcel Mauss, *Œuvres*, tome III, « Cohésion sociale et divisions de la sociologie », Paris, Minuit, 1969, p. 233 ; Célestin Bouglé, « Sociologie et démocratie », *Revue de métaphysique et de morale*, 1896, tome IV, p. 118.
2. Pierre Bourdieu, « Célibat et condition paysanne », *Études rurales*, 5-6, 1962, p. 109.

sociologie ne vaudrait pas une heure de peine si elle devait être un savoir d'expert réservé aux experts »[1].

100 – Sociologue

Plus d'un siècle après les premières tentatives de définition de la démarche sociologique, comment s'exerce aujourd'hui le métier de sociologue ? À quoi s'engagent les étudiants qui se préparent à exercer cette profession ? Le sociologue qui aurait à décrire de façon détaillée toutes les facettes de sa profession ne se contenterait pas de décrire les enquêtes qu'il réalise même si celles-ci occupent une part importante de son activité. Il ne saurait pas non plus se limiter à sa fonction académique et à son rôle de savant. Il parlerait aussi probablement des conditions d'exercice de sa recherche : la réponse à des appels d'offres pour obtenir des financements, le souci de satisfaire la demande sociale, les liens qu'il entretient avec les médias, la tâche d'expert qui lui est confiée dans des commissions créées à l'initiative des entreprises ou des pouvoirs publics, etc. Les sollicitations sont nombreuses et variées. Par ailleurs, la recherche sociologique s'est spécialisée, technicisée, la réalisation et le traitement des enquêtes se sont perfectionnés. Mais au-delà de ces différentes dimensions de sa pratique, le sociologue se définit surtout par le regard inévitablement critique qu'il porte sur le monde social puisque son travail consiste à faire la chasse aux prénotions (§ 13) et aux mythes de la vie ordinaire. En en explorant les coulisses, il risque toujours de désenchanter, voire de décevoir, les femmes et les hommes toujours prompts à se fier à ce qui leur apparaît comme des évidences ou des vérités absolues. Mais ce rôle de désenchanteur ne lui interdit pas de s'engager lui-même au service de la société en valorisant les résultats de ses recherches, en en recherchant leur utilité sociale. Le sociologue est au

1. Pierre Bourdieu, *Questions de sociologie*, Paris, Minuit, 1984, p. 7.

cœur de la Cité. Ses travaux ne sont pas voués à rester confinés entre les mains de quelques spécialistes. Par leur large diffusion et l'intérêt qu'ils suscitent dans la population générale, ils renforcent la conscience que les sociétés ont d'elles-mêmes et participent ainsi, au moins indirectement, à leur régulation.

GLOSSAIRE

TABLE DES MATIÈRES

Imprimé en France
par JOUVE
1, rue du Docteur Sauvé, 53100 Mayenne
Mars 2010 - N° 506585Y

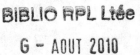